الإسلام

中田考
飯山陽

イスラームの論理と倫理

晶文社

装丁・レイアウト　矢萩多聞

イスラームの論理と倫理

目次

第三書簡　トルコ、クルド問題について

第四書簡　タイのイスラーム事情

第五書簡　中村哲氏殺害事件をめぐって

第八書簡　コロナウイルス禍がもたらしたもの

第九書簡　トルコのコロナ対応をめぐる考察

最終書簡　インシャーアッラー　それぞれの結語として

＊本書に登場する固有名の表記については、各著者の方式に合わせています。クルアーン／コーラン、ソレイマーニー／ソレイマニ、ハーメネイー師／ハメネイ師など。

まえがき

飯山陽

「多様性」や「多文化共生」というのは一般に、外国人や外国文化によってもたらされる、という文脈で用いられることの多い言葉です。

しかし私は、日本人の中にも「多様性」や「多文化」があると考えます。同じ日本人同士であろうと、驚くほど分かり合えない人というのはいくらでもいますし、互いに日本語を使っていても、全く嚙み合わない会話というのもいくらでもあります。

日本における伝統的な人付き合いというのは、互いが同質であることを前提としています。同じ価値観、同じ常識を共有する日本人同士が、日本語を用い、それほど多くを語らなくても分かり合えるはずだと信じる。ノリとフィーリングで乗り切る。それが日本的コミュニケーションの基本です。

ところが現代の日本社会においては、同じ学校や会社に通っていたり、隣り合って住んでいたりする者同士が、全く異なる価値観や常識を持っていたり、かなり異質な生活スタイルを営んでいるというのも、稀ではありません。身近にいるからといって、みんな「オンナジ」ではないのです。

私は拙著『イスラム2・0』（河出新書、2019年）で記したように、イスラム教徒と日本人が共生していくために重要なのは、互いを異質な他者として認識した上で、適切な距離を保ち、できるだけ衝突を避けるべく行動することと、法治を徹底することだと考えています。みんな「オンナジ」を前提とする日本的な人付き合いでは、多文化共生は立ち行かず、たちまち破綻することになるでしょう。なぜなら彼らは、私たちと同じ価値観も常識も、ノリもフィーリングも共有していないからです。

そしてこの他者を異質な存在と認識した上で距離を保って付き合うという作法は、現代の日本人同士の付き合いにも有効なのではないかと私は考えます。相手がイスラム教徒や外国人ではなく日本人であっても、気の合わない人や分かり合えない人は誰にでもいます。同質性を前提とすると、そういった人を目の前にした時、分かり合えないことにひどく苦しんだり葛藤したりすることになります。しかし異質性を前提とすれば、適切な距離を保ち、できるだけ衝突しないようにしようと意識を変え、工夫することができます。

ひとつの社会に暮らす人々が、みんな「オンナジ」である必要は全くありません。異質な他者の並存を前提とすることは、私たち自身がよりラクに生きるための発想の転換です。

本書は中田考先生という、おそらく日本で最も有名なイスラム教徒にしてイスラム研究者と、私、飯山陽というイスラム教徒ではないイスラム研究者が、ひとつのテーマについて互いに掘り下げて論じるという形式の、少し破格の往復書簡です。中田先生が私宛に記し、私がそれに返信したのは第一書簡のみで、それ以降、書簡の往来はありません。

20年以上前に初めて出会った時から今に至るまで、中田先生は私にとって、全く分かり合うことのできない異質な他者です。中田先生だけでなく、私は日本の中東イスラム研究業界に属する多くの研究者と、ほとんど全く分かり合うことができません。

同じ日本人であり同じ対象を研究しているにもかかわらず、彼らと全く分かり合えず、彼らから排斥されることは長年、私にとって苦痛でした。しかし彼らの世界と決別し、彼らと縁を切ってから、私はその苦痛から解放されました。同じ対象を研究する同じ日本人同士だからといって、仲間同士で集い、同じノリとフィーリングで研究し続ける必要など一切ないのです。

私はこの往復書簡を通して、中田先生と分かり合おうとも、中田先生を説得しようとも全く思いませんでした。私の目的は、ひとつにはもちろん、それぞれのテーマについての分析を提示することですが、もうひとつは中田先生と私の議論が徹頭徹尾嚙み合わないことを読者の方々によくよくご覧いただき、その上で、なぜこうも嚙み合わないのかについての理由を明らかにすることです。

異質な他者との共存に必要な距離感とはどのようなものかについて、本書がよき示唆を与えることを、筆者の一人として願ってやみません。

第一書簡

あるべきイスラーム理解のために

書簡A

イスラーム理解はなぜ困難であるか

中田考

序　東京大学イスラム学研究室

飯山陽さんは、私にとってなによりもイスラム学研究室の後輩です。東京大学文学部に日本で初めてのイスラームの専門研究コースとしてイスラム学研究室が創設されたのは１９８２年で、私はその一期生でした。私はイスラム学研究室に進学し１９８４年に学士号、１９８６年に修士号を取得した後、エジプトのカイロ大学に留学し、１９９２年に「イブン・タイミーヤの政治哲学」をテーマに文学部哲学科から博士号を授与され、その後１９９２年から１９９４年にかけて外務省から「サウディアラビアの内政における宗教勢力の動向」の調査を委嘱されサウジアラビアの日本大使館で専門調査員を務め、その後日本に戻りました。

私がイスラム学研究室に在学した時代には、出版されているイスラーム学の古典の数は限られており、東大のイスラム学研究室も含めて日本の大学や図書館には基本文献さえも揃っていませんでした。アラビア語やペルシャ語などの原典を手にすることができないだけでなく、欧文の学術雑誌の研究論文を海外から取り寄せることは言うに及ばず。Index Islamicus だけでは最新の研究を検索することすらままなりませんでした。インターネットもパソコンもまだ普及しておらず、私の卒論も修論も手書きでした。隔世の感があります。

飯山さんは1998年にイスラム学研究室の修士課程に進学していますので、私より一回り以上後輩ですが、既に研究室にアラビア語などのイスラーム学の基本文献、主要な学術誌、欧米の最新の研究書は一通り揃い、個人でもメディアがカバーしないどんな僻地であれ、爆弾の降り注ぐ紛争地であれ、リアルタイムの現地の映像、情報をインターネットでリアルタイムで入手できる研究環境でイスラーム研究を始めていることになります。

イスラーム研究の知的背景の変化

研究環境もずいぶん変わりましたが、それ以上に変わったのがイスラームをめぐる知的状況です。私が大学に入学した頃は学生運動は完全に下火になっていましたが、大学の人文社会科学の教員たちの間では宗教を「民衆のアヘン」と切り捨てたマルクス主義の影響がまだ強く、西欧化・近代化は進歩の不可逆な過程であり、宗教は時代遅れの過去の遺物でやがて滅び去るものと一般に考えられていました。人類の進歩にとって重要なのは社会の下部構造である経済であり、上部構造の更に上澄みに過ぎない宗教など論ずるに足りない虚偽意識（イデオロギー）であり、特にイスラームのような「遅れたアジア・アフリカ」の宗教は因循姑息な田舎の老人たちの奇習ぐらいの扱いでした。

私が大学で最初にイスラームについて受けた講義は駒場の大教室で受けた板垣雄三先生の西洋史でしたが、板垣先生はイスラム学研究室のスタッフでもありました。板垣先生の世代の先生たちにとってなすべきことは、まずイスラームが学ぶに値することを示すことでした。そしてそれは、近代化の過程は単線的ではなく世俗化による近代化の西欧モデルはムスリム世界には通用しないこと、ムスリム社会には西欧キリスト教社会とは違う固有の力学、すなわちイスラームがあり、それを知らないとムスリム世界で起きていることは理解できないこと、そしてイスラームは西欧キリスト教的偏見を排することで合理的に理解可能である、と論じることによってなされました。

追い風になったのが、１９７９年のイラン・イスラーム革命でした。中世から蘇ってきたような黒い「法衣」のホメイニ師の写真を掲げた百万人を超える群衆がデモで街に繰り出し、飛行機でイランに帰国した同師を群衆が熱狂して迎える映像は、飛行機が突入し世界貿易センタービルが倒壊した２００１年の「９・11」よりも遥かに衝撃的でした。私にとっても、イラン・イスラーム革命は、イスラーム学研究を志すことになった主要な動機の一つであり、最初のイスラム学の専門科目として最初に取った故佐藤次高先生のレポートで選んだテーマはイラン革命でした。私は卒論のテーマにはスンナ派の法学者イブン・タイミーヤの政治哲学を選びましたが、現在までイラン・ウオッチャーを続けています。

１９７９年にはイラン・イスラーム革命に続き、３月にはソ連がアフガニスタンに侵入しムジャーヒディーンによる反ソ連ジハードが始まり、11月にはサウジアラビア王国を打倒しイスラーム国家を樹立しようとする武装勢力によりマッカの聖モスクが占領され、１９８１年10月にはイスラエルとの単独和平を強行しノーベル平和賞を授与されたエジプトのサダト大統領がスンナ派「原理主義」組織ジハード団によって暗殺され、ムスリム世界ではイスラームが現在も大きな影響力を持っていることが外部の人間の目にも疑いの余地なく明らかになりました。

日本におけるイスラーム研究の問題

イスラームについて理解してもらうためには、先ずイスラームが知るに値すると思わせねばならず、ついでイスラームを理解するためにはそれまでの自分たちの西欧中心主義を見直さなければならないと気付かせる必要がある、と考えるのは、大学の教養課程での教育、一般向けの講演会や啓蒙書のレベルでは現在においてもなお妥当であると私は思っています。そして20世紀終盤から今日にいたるムスリム世界の歴史は、近代化の西欧モデルがムスリム世界では通用しないことを裏書きしてきた、と言うことも出来そうです。

しかしその結果として、マルクス主義の退潮のせいもあり、かつてのイスラーム軽視の反動として社会経済的要因が蔑ろにされ、ムスリムの行動をすべてイスラームに還元するような説明が横行するという反動が生まれました。西欧近代化モデルがそのままではムスリム社会に通用しないこと、ムスリムに固有の行動パターンがありそうなことが正しいことと、それをイスラームで説明することとは全く別のことです。これは実は複雑な問題なので後で詳しく論ずるとして、もう一つの問題があります。それはイスラーム学者よりむしろイスラーム地域研究者に関わります。

それは、ムスリム社会を動かしており西欧的偏見を排して客観的に観察すれば合理的に理解できるとされるイスラーム研究者が言うイスラームが、自分が知る現実のムスリムたちの実態と全く違う、という単純素朴な事実です。「穏健」で「寛容」で「平等」で「民主的」な「平和の宗教」など一体どこにあるのか、とは、中東研究者、特にアラブ研究者であれば誰でも思うことでしょう。私自身アラブ、特に私が留学したエジプトは大嫌いで、今思い出しても頭の血管が切れそうになるような体験ばかりの日々だったように思います。あくまでも印象論ですが、総じてアラブ研究者はアラブが嫌い（か大嫌い）、イラン研究者はアンビバレント、トルコ研究者はトルコ大好き（か好き）です。ちなみにムスリムでない中東研究者は例外がいないわけではありませんが概ねイスラームが嫌いです。まぁ、それが自然なわけですが。

ムスリムでも区別できない者も多いですが、ムスリムでないイスラーム学者、イスラーム地域研究者はイスラームとムスリムの言動を区別できないので、彼らにとっては自分たちが見たムスリム社会、ムスリムの言動こそが本当のイスラームであり、イスラーム研究者がこれまで語ってきた「穏健」、「寛容」、「平等」、「民主的」、「平和の宗教」なイスラームは現実と懸け離れた護教論に過ぎないということになります。

イスラームについての知識がないばかりでなく、そもそも知る価値がない、と思われていた時代に、読者の世界観の枠組を揺さぶりつつ基本的にその枠組の中でポジティブにイスラームを描くというスタイルには時代的必然性があったと思います。しかしある程度そうした共感的理解が広まった段階では、それに対する反動として「イスラームの現実はそんなものではない」という「異議申し立て」が現れるのは当然と言えば当然です。

そしてこうした「異議申し立て」の新潮流の代表が、飯山さんと同じく東大イスラム学科出身の池内恵さんと言えると思います。私も古典イスラーム学者として、イスラームを「穏健」、「寛容」、「平等」、「民主的」、「平和の宗教」のような西欧の植民地支配を蒙る以前には存在しなかった概念に切り詰め歪曲することには違和感を抱いており、またエジプトで学生としてムスリム社会の内部で5年にわたって生活し、2年間のサウジアラビア日本大使館勤務でムスリム国家の外交の一端を垣間見ましたので、ムスリム世界の現実を粉飾することは心情的にとてもできませんでした。

私はエジプト留学、そして日本大使館勤務当時に発表した「エジプトのジハード団」（1992年）、「ジハード（聖戦）論再考」（1992年）以来、『イスラーム国訪問記』（2019年）まで一貫して、サラフィー・ジハード主義の内在論理と行動を共感的に明らかにする研究を発信し続けており、日本のイスラーム地域研究者の中では例外的にこの「異議申し立て」に与する立場を取っています。

あるべきイスラーム

日本のイスラーム地域研究の方向性に反対という点では一致しても、それに対してどういう代案を提示するかに関しては、私と飯山さんでは根本的に方法論が違っています。というか、私の方法論的前提は飯山さんだけでなく、日本の、いや日本だけでなく、世界の全てのイスラーム研究者と違っているので、飯山さんとも当然違っている、という話です。

非ムスリムの研究者の場合、イスラームとは基本的に規範的概念ではなく記述的概念です。つまり問題となるのは「あるべきイスラーム」ではなく、現実に「あるイスラーム」であり、ムスリムの言動をおいてそれはありません。といっても、実際には、この区別は必ずしも絶対的でありません。「あるべきイスラーム」を知るには預言者ムハンマドをはじめとするムスリムの言行を参照するしかなく、イスラームのようにムハンマドという使徒とクルアーンという啓典を持つ宗教では、現実に「あるイスラーム」であってもムハンマドとクルアーンにどうしてもある程度は縛られるからです。特に飯山さんはイスラム学科で古典イスラーム法学基礎論を専攻しているので、クルアーンとハディースの解釈の体系としての古典イスラーム学が示す「あるべきイスラーム」の教義に照らして現実のムスリムの中に「あるイスラーム」を語る、というスタイルですので、その点では、私と同じとも言えます。

ちがいは二つあります。違いの第一は私が「あるべきイスラーム」の教義に照らして、ムスリムの現実を分析するのは、「あるべきイスラーム」の教義に照らして、現代世界においてのムスリム個人、ムスリム社会、ウンマ（ムスリム全体の集合）のそれぞれのレベルでの「あるべきイスラーム」を考え、それと現実に「ある」ムスリム、ムスリム社会、ウンマの乖離を見極め、いかにすればこの現代世界においてそれぞれのレベルの「あるべきイスラーム」を実現できるか、を考えるためです。これはたぶん飯山さんにはあまり関心はないでしょう。もちろん、一緒に考えてくれても構いませんが。

しかしより重要な違いはその「あるべきイスラーム」の内実です。ハーバード大学のイスラーム研究者W・C・スミスは、「イスラーム」という言葉には（1）個人的なアッラーとの関係、（2）ムスリムの制度化された宗教思想、（3）歴史的な現実、文化、の三つの意味があると言います。クルアーンやハディースの用法は（1）の人間と神との個人的な関係を指していましたが、13世紀頃からムスリムの間でも（2）の制度化された教義の体系の意味で使われ始めます。（3）の歴史的な現実、文化を「イスラーム」と呼ぶのは、最近のことで、非ムスリムのイスラーム研究者、いわゆる「オリエンタリスト」が始めたことです。イスラームに（1）個人的なアッラーとの関係、（2）ムスリムの制度化された宗教思想、の二つの意味があることに私も異議はありません。ムスリムによって制度化された宗教思想としての第二の意味の「イスラーム」が、ムスリムにとって規範的な「あるべきイスラーム」であるのは当然でしょう。しかしムスリムにとって本当に重要なのはクルアーンの用法（1）の個々のムスリムとアッラーとの個人的関係です。

このアッラーと個人との関係としての「イスラーム」も言うまでもなく規範的な「あるべきイスラーム」です。アッラーと個人との関係における「あるべきイスラーム」とは、アッラーによって「イスラームと認められたもの」、つまり「それによって来世での楽園の救済に値するムスリムと認められた存在様態」ということです。とはいえ、キリスト教のように、人が神の子になったり、神の子の代理人がいたり、人に神（聖霊）が憑く、といった概念を持たないイスラームにおいては、誰がムスリムかを判断できるのは、神だけであり、神が人間にいちいち「今のあなたはムスリムと認められた」と語りかけるわけではないので、誰にも知ることはできません。それゆえ当の本人は自分の信仰を常に自問し続けるしかありまんが、他人の信仰については関知するところではありません。

しかしイスラームの教えはアッラーとその使徒ムハンマドを信ずる者にしか課されませんから、共同生活を送るには、ムスリムとそうでない者を区別する必要が生じます。ジハードやイスラーム刑法を持ち出さなくとも、食物規定やドレスコードが違えば共同生活が困難なのは、イスラームに限った話ではありません。そのため本来は判断する必要がない他人の信仰についても、神の御許で誰が本当にムスリムであるかはさておき、この世で暫定的に誰かをムスリムとして扱うかどうか、という問題が生じます。

ですからある人間の様態がイスラームであるか否か、との問いは、不可知ではあっても、一瞬毎にどう生きるかの決断を迫られるムスリムにとっては、わからないなりに判断を下さざるをえないために、正当化されます。それは日本のサラリーマンが食事をしなければいけない以上、自分で弁当を手作りするか、コンビニ弁当で済ますか、経済的、健康的、時間的に最適解を見出せなくとも、不完全な情報と限られた時間の中で何らかの選択をする決定を下すことを余儀なくされるのと同じです。

しかし、そういう義務のない非ムスリムに、ムスリムの存在様態がイスラームの教えに適っているか、の判断を下すことが正当化されるでしょうか。そもそもアッラーを信じない非ムスリムの研究者にとっては「アッラーによってイスラームと認められた存在様態」という規範的概念は指示対象が実在しないため、そもそも問うことが出来ないはずです。しかしできないはずですが、制度化された教義の体系が確立しているイスラームでは、外部の非ムスリムであっても、あるムスリムが何をイスラームと考えているかについて、その言動をその教義体系に照らすことで、ある程度推測することはできます。他者としてのムスリムとの接触による文化、社会、経済、政治、軍事的危険の回避を目指し、ムスリムの行動を予想し制御するための実践的な学問がイスラーム地域研究であるとするなら、ムスリムの行動原理を理解しようとすることは、その有用性に鑑みて正当化されることは理解できます。イスラーム地域研究の中でも、社会、経済、政治的要因より、イスラームがムスリムの行動を大きく規定していると考え、イスラームの教義体系に照らして、ムスリムの行動を解釈し記述するのが、飯山さんの仕事だと私は理解しています。

イスラームを制御の対象である他者とみなすイスラーム地域研究の価値観にはもちろん私は与しませんが、価値観自体の善悪、優劣を論ずることは、イスラーム地域研究の課題でもなければ、イスラーム学の目的でもありません。イスラームの教義体系に照らして、ムスリムの行動を解釈し記述するイスラーム地域研究、という学問的方法自体は、私も共有しています。ここまでが前置で、重要な違いである「『あるべきイスラーム』の内実」に話が戻ります。まず個人のムスリムの場合です。

外部の観察者は基本的に自分が見た限られた行為を元に、「あるべきイスラームの教義」の範疇に当てはめて、そのムスリムの「あるイスラーム」を判断することになります。たとえばラマダーン月に小巡礼（ウムラ）に来てマッカの聖モスクにお籠り（イウティカーフ）をしているムスリムが居たとします。この場合、小巡礼も聖モスクでのお籠りも滅多にできない善行であり、ラマダーン月に行うことは特に功徳があるとされていますので、その相手の様態、

「あるイスラーム」は敬虔と判断されるでしょう。

複合的、重層的イスラーム

しかし、ムスリムにとっては、人生は切れ目のない連続でありどの行いも前の行為と繋がっています。そして人間の行為は、様々な次元における複合的な現象であるため、そのイスラーム性もそれぞれの次元において解析されねばならず、それ故実際の具体的な行為は通常、イスラームに合致した次元とそうでない次元の複合であり、さらに同一次元においても真偽が混在することもしばしばです。

前節の最後であげたラマダーン月にマッカに小巡礼に来てマッカでお籠りをして礼拝していたムスリムの例に即して言えば、その経緯は以下のようだったかもしれません。彼はダールルイスラーム（イスラームの国）の国境の前線の防人（ムラービト、ムジャーヒド）だったのが、異教徒が攻め入って来たので敵前逃亡して、良心の呵責からラマダーン月に一か月のマッカの聖モスクでお籠りをしようと決意し、小巡礼（ウムラ）に出かけたものの、無計画だったのでたちまち路銀が尽きて途中で出来心から巡礼装束を盗みそのまま泥棒になって盗みを重ねつつようやくマッカに着いたけれども、空腹に負けてラマダーン月の断食を破ってしまったが、悔い改めてマッカの聖モスクに籠って夜明かしし、規定の浄化の潔斎をしないままで夜通し任意の礼拝に立ち尽くしたのでしたが、実のところその礼拝の要件の多くを間違えていた、としましょう。

そうであれば、イスラーム法を知悉した者がより詳細に見るなら、そもそも聖モスクのお籠りも、夜通し立って礼拝していても礼拝の条件である浄めを行っておらず、礼拝の式次第の要件を間違っていれば全て無効ですし、ラマダーンの昼間の斎戒断食を破っているのでそのお籠りはむしろ罪深いものです。そしてマッカに小巡礼に来たこと自体、路銀も持たず、盗みを働きながらであれば、善行より罪がまさります。これは短いタイムスパンで切り取った行為の中に善と悪、合法と不法、罪と敬虔が綯い交ぜになっている場合です。より長いタイムスパンでみれば、たとえ泥棒もせず、マッカに小巡礼をし、ラマダーン月に聖モスクにしっかりお籠りし日中は斎戒を全うし、きちんと浄化を済ませ完璧に要件を満たした礼拝を夜通し続けたとしても、ダールルイスラームを侵攻した異教徒から防衛するジハードで敵前逃亡した者は、そんなことをするより、なにはともあれ一刻も早く前線でのジハードに戻るべきなのであり、敬虔であるどころか、重罪人でしかありません。

神の視点からとは言わず、信仰者としての一ムスリムの主体的な視点からでも、一人のムスリムの時間と空間の一点における「あるイスラーム」の信仰の様態さえ、時間と空間の無限に多様な「あるべきイスラーム」のパースペクティブからの分析の可能性があり、「あるべきイスラーム」の基準に照らして善悪、罪と敬虔が複雑に絡み合っており、他者の生の全体を見通すことが出来ない外部の観察者の理解を原理的に超えています。

イスラーム法では、人間の行為を（1）「行わなければ来世での罰に値するもの」、即ち「義務（ファルド、ワージブ）」、（2）「行わなくても来世での罰はないが行われれば来世での報奨に値するもの」、即ち「推奨（ムスタハッブ、マンドゥーブ）」、（3）「行っても行わなくとも来世での罰も報償もないもの」、即ち合法（ムバーフ）、（4）「行っても来世での罰はないが、行わなければ来世の報奨に値するもの」、即ち「忌避（マクルーフ）」、（5）「行えば来世での罰に値するもの」、即ち「禁止（ハラーム）」の五つの範疇に分類することは、日本でもイスラーム関係書の読者の間で知られてきたかと思います。しかしイスラーム法はムスリムを対象としているので通常は論じられませんが、実は第六の範疇があります。それは「多神崇拝（シルク）」であり、それを伴えばあらゆる善行が無効になり無条件に来世での永劫の罰を蒙ることになります。言い添えると、ここでいう「多神崇拝（シルク）」は専門用語で「ムスリムでなくなる大多神崇拝（シルク・アクバル・ムフリジュ・ミッラ）」と言われるもので、そこまで重大でなく重罪ではあってもムスリムではあり続ける「小多神崇拝（シルク・アスガル）」とは区別されます。またイスラーム法上の来世での罰に値する行為も、未成年や狂人などの責任能力を欠く者の場合や、正当防衛など違法性阻却事由がある場合には免責されることは、日本の法律と同じです。話を第六の範疇、「（ムスリムでなくなる大）多神崇拝」に戻すと、ムスリムの様態を判断するには外面的な行為を見るだけではなく、そもそもその人間が「多神崇拝」を犯していないか、を考慮する必要があります。外面的にいかに熱心に礼拝や斎戒断食に励み、大巡礼（ハッジ）に行き、ジハードを行っても、同時に例えばシバ神や、大日如来や、お稲荷様を拝み、十字架、神社の交通安全のお守り、曼荼羅、贖宥状（免罪符）などを後生大事に身につけていたなら、善行のすべては無効になり、大多神教の罪でムスリムでなくなり、来世での永劫の罰に晒されます。またダールルイスラームを侵略するためにムスリムを装っていたスパイの場合も同じです。

　ですから、イスラームの教義に照らしてムスリムの行動を分析するには、個別の動作の一つひとつをイスラーム法の範疇に当てはめてカズイスティック（決疑論的）に判断するより前に、まずそもそもその人間がムスリムであるかどうか、多神崇拝を犯していないか、を総合的に判断する必要があるのです。そしてもし多神崇拝ではない、と判断できた場合でも、非ムスリムがイスラームに照らしてムスリムの行動を解釈するイスラーム地域研究にはもう一つ方法論上の大きな問題があります。

　既に述べたように、イスラームを生きるムスリムの様態は、ただアッラーだけが崇拝すべき存在であると認めている限り、善と悪、合法と不法、罪と敬虔が綯い交ぜになっていても、ムスリムとみなされる、つまりその現存在の様態は総体的にイスラームとみなされます。であるならば、礼拝をする、斎戒断食をする、ジハードを行う、喜捨をする、孤児を養う、隣人に親切にする、といったイスラーム法上の義務行為、推奨行為がイスラームだとみなされる、のは良いとして、アッラーだけを崇拝すべき存在と認めているなら、イスラーム法上禁止されている殺人、強盗、姦通、飲酒などを行ってもそれもイスラームだということになり、殺人、強盗、姦通、飲酒もイスラームの特徴だということになります。

この問題については「姦夫は姦通を犯した時に信仰者であれば姦通など犯さない。酒を飲んだ時に信仰者であれば酒など飲みはしない。盗んだ時に信仰者であれば盗まない」という解釈の難しい預言者の言葉も伝えられており、本当は長大な議論が必要なのですが、省きます。

日本でイスラームを語る困難

殺人、強盗、姦通、飲酒もイスラームだというのは、直感的になにかおかしい気がすると思いますが、これを日本人に置き換えてみるとその奇妙さがはっきりするでしょう。殺人、強盗、姦通、飲酒などを行っても日本の法律では日本国籍を奪われることはないので、その人間が日本人であることには変わりはありません。だから殺人、強盗、姦通、飲酒も日本人の特徴だと言えないことはありません。ところが日本の法律では外国の国籍を取得すれば日本国籍を失いますから、日本人は、殺人、強盗、姦通、飲酒はおろか、外国と通謀して日本の武力侵略の手助け（外患）を行うことは許していても、外国の国籍を取ることは許さない、と言うこともできます。

日本のことを少しでも知っている人間なら、こうした言い回しがおかしいことは常識でわかりますが、日本についてまったく知識がなければ、これを聞いて日本は極端にナショナリスティックな狂った国と誤解するかもしれません。イスラームについても同じです。イスラームについての知識がほとんどない日本人に対してイスラームを語る場合には、論理的に正しいだけでなく、誤解を招かない適切な言い回しをするように慎重に配慮する必要があります。

属性ではなく、行動の動機をイスラームの教義で説明する場合はまた別の問題があります。先ほど述べた殺人、強盗、姦通、飲酒によって、ムスリムが必ずしもムスリムでなくなるわけではない、言い換えればその「イスラーム性」が否定されないからと言って、ムスリムが殺人、強盗、姦通、飲酒を行った場合、そのムスリムが殺人、強盗、姦通、飲酒を行ったのは、イスラームの教義のためだ、あるいはそういう罪を犯した動機はイスラームの実践を意図してだ、と言うのが正しくないのは自明、と言っても異議はあまり出ないと思います。しかし、一日に5回礼拝をした、ラマダーン月に斎戒断食をした、マッカに巡礼に行ったのは、イスラームの教義のためだ、あるいはイスラームを実践するためだ、と言うのは一見すると正しそうに思えます。しかし必ずしもそうではありません。

たとえば、あるムスリムがラマダーン月に斎戒断食はしていても、一日に5回の定時の礼拝はしていなかったとすれば、イスラームの教義にあるにもかかわらず礼拝はしないのに斎戒断食はするのはイスラームの教義にあるからだ、となぜ言えるのでしょうか。斎戒断食するのはイスラームの教義にあるから、といった説明は実は説明になっていません。どちらもイスラームの教義にありながら、斎戒断食はする一方で、礼拝はしないという違いがどこから生まれるのか、その原因こそが真に求められる説明です。それは女性が髪を覆うこと、男性が太腿を隠すことのような服装コードでも、豚肉や酒を飲まない、といった食物規定でも、利子を取らない、という商法でも、窃盗犯の手首を切断するという刑法でも同じです。あるイスラーム法上の義務事項が守られ、禁止事項が避けられているとしても、それだけで、それがイスラームの教義に規定されているからだ、とは言えません。そう言えるのは、すべてのイスラームの教義の規定が実践されている場合だけで、そうでないならば他の規定が実践されていないのに、その規定は実践されていることの特別な理由が解明されなくてはなりません。

終りに

イスラームの教義に照らして他者としてのムスリムの行動を説明するイスラーム地域研究が抱える方法論的問題について語り始めるときりがないのですが、もはや与えられた字数を大幅に超えていますので、取りあえず今回はこれで切り上げようと思います。ここまでの議論からも、イスラーム学にもムスリム社会にも馴染みがない一般読者の皆さんにも、イスラーム学の立場から、イスラームを知らない読者を相手にイスラーム学の立場からムスリムとムスリム世界について語ることの絶望的な困難の一端は理解してもらえたのではないかと思います。

飯山さんとのこの対話が、日本のイスラーム研究、イスラーム地域研究におけるイスラームの理解、あるいはイスラームの理解の困難の理解のレベルの向上に貢献できることを願って最初の書簡を送ります。ミナッラーヒッタウフィーク（成功はただアッラーの御許から）。

書簡Ｂ

「あるべきイスラーム」から離れて

飯山陽

ムスリムと非ムスリムの対話

我がイスラム学研究室のレジェンドである中田考先生と、このようなかたちでやりとりする機会をいただいたことを、光栄に思います。

私は研究室にいらした中田先生に何度もお目にかかり、また学会等でも何度もお見かけし、そのたびに「こんにちは」とご挨拶申し上げてきましたが、おそらく先生はご記憶にないことでしょう。

第一便では、先生がイスラム教について勉強を始めた当初の時代背景や、学会全体としての研究主旨について教えていただきました。残念ながら私が学生だった頃には、こうした話をしてくださる先輩や先生がいらっしゃいませんでした。あるいは、私は貧乏学生で、研究室で過ごす時間よりはるかに多い時間を仕事に費やしていたため、こうした話を聞く機会を単に逸していただけかもしれません。

イスラム教を「寛容」「平等」「民主的」「平和の宗教」といった西洋近代由来の概念に「切り詰め歪曲すること」に違和感を抱いていた、と書かれていましたが、私もその点に関しては全く同感です。それは私も、先生には遠く及ばずとも古典イスラム法を学び、また先生と同様にエジプトと、そしてモロッコで長く暮らした経験があるからかもしれません。

特に私は、「教授」とか「大使館員」といった肩書きを一切背負わず、ムスリムたちの中にポーンと放り込まれたような状況でしたから、誰一人私を特別扱いしてくれる人はいませんでした。日本から来た「教授」たちが特別扱いを受けるのを横目で眺めながら、「ああ、この人たちはこういう立場でイスラム世界に来ているから、イスラムは平和で寛容で平等な宗教だ、などと論じられるのだろう」と思ったものです。

先生と私とでは、日本のイスラム研究の方向性に反対という点では一致しているが、方法論においては根本的に異なっている、という先生のご指摘についても、異論はありません。そしてその差異はなによりも、先生がムスリムで私がムスリムではない、という点に由来しているのは、間違いないと思います。

先生は「あるべきイスラーム」について論じてくださいましたが、私は『コーラン』やハディース、イスラム法について学んではいても、それらをそもそも「あるべきイスラーム」といった概念で捉えたことはありません。語弊はあるかもしれませんが、それらは「神の命令自体」あるいは「イスラム教そのもの」と認識しています。それは私自身にとって、『コーラン』やハディース、法規範が「目指すべき目標」ではなく、純粋に「考察対象」だからでしょう。古典の法学書でも、あるいは現代のイスラム法学者の著作でも、『コーラン』とハディースこそがイスラム法」とか、「イスラム法こそがイスラム教そのもの」という記述を何度も読んでいます。それらを「真に受けて」、現在の私の認識が確立されたのだと思います。

ですから当然、ムスリム個人、社会、共同体のレベルでの「あるべきイスラーム」についてなど考えたこともありません。おそらくムスリムであれば、ぎゃくに「あるべきイスラーム」について考えたことがない人などいないでしょう。それについて考え、語り合うことは、ムスリムたちにとっての生活の欠かせない一部だと思います。私は総じて、「あるべきイスラーム」についてムスリムたちはいろいろ考えている、と認識しています。私はムスリムではありませんから、それらに賛否を示したり、優劣をつけたりする立場にはありません。

先生は「非ムスリムに、ムスリムの存在様態がイスラームの教えに適っているか、の判断を下すことが正当化されるでしょうか」と書いてらっしゃいますが、もしこの「非ムスリム」を私と置き換えるならば、そもそも私はそのような判断を下したことはありませんし、下したいと思ったこともありません。

私は目で見ることのできるムスリムの行動、耳で聞くことのできるムスリムの言葉の淵源に、啓示的根拠が見出せる、という指摘をしてはいます。しかしその行動、その言葉が「あるべきイスラーム」に適っているかどうかという思考のベクトルは、私の思考のベクトルとは真逆です。

どうすれば衝突を回避できるか

また先生は、「イスラームを制御の対象である他者とみなすイスラーム地域研究」と書かれていますが、私は「他者としてのムスリムとの接触による文化、社会、経済、政治、軍事的危険の回避を目指し、ムスリムの行動を予想」するというところまでは賛同しますが、「イスラームを制御の対象」などとおこがましく考えたことはただの一度もありません。私はムスリムたちが完全無欠だと信じるイスラム法を学んできました。ムスリムにとって、イスラム教が完全無欠の宗教であり唯一の真理であることも認識しています。他者によって制御などできないとわかっているからこそ、どうすれば衝突を回避できるか、というのが私の関心です。

イスラム法研究の世界に入って以来、非ムスリムにイスラム研究はできない、という言葉を数名の人から投げつけられてきました。しかし不思議なことに、アラブ諸国のムスリムにそのように非難されたことはありません。私がアラビア語を話し、イスラム法を研究しているというと、彼らの多くは「お前はもうすでにムスリムなのだ」と言います。私が書物からだけではなく、生身のムスリムから多くを学ぶことができたのは、彼らがそう「誤解」してくれたからだとも言えます。

私はこの世で信仰告白こそしてはいませんが、最後の審判の日に誰が本当にムスリムかを判断されるのは神ご自身です。法学者の慣行に倣い、アッラーフ・アアラム（神が最もよく知り賜う）という言葉で、第一報への返信を終えさせていただきます。

追伸。第一便は先生のほうからいただき、私が返信させていただきましたが、これ以降はひとつの時事的トピックについて、先生と私とで同時に分析するというかたちで進めてまいりましょう。先生にご了承いただいたとのことで、最初のトピックについては編集の方と私とで相談して決めさせていただきます。

第二書簡

イスラム国をめぐって

書簡A

「ひとごと」ではないイスラム国

飯山陽

米国防総省監察官室は6日、米軍が撤退を進めるシリアでイスラム過激派組織「イスラム国（IS）」が「復活」しており、隣国イラクでは攻撃実行能力をすでに強固なものとしていると報告した。[*1]

（AFP　2019年8月7日）

2014年にカリフ制再興を宣言し、イラクとシリアで戦闘を繰り返した結果、広大な領土を支配してイスラム法による統治を行い、日本人2人を含む多くの外国人を処刑し、各国で頻繁にテロを実行することで世界を震撼させた「イスラム国」。2017年に米国主導の有志連合軍などがイラクとシリアの領土を「イスラム国」から「奪還」して以降、日本では「イスラム国」についてほとんど全く報じられなくなりました。しかし残念なことに、「イスラム国」はいまだ健在であり、そのことは当該ニュースで米当局が「復活」という言葉で「イスラム国」の現状を描写していることにも現れています。

「イスラム国」について全く報じないという点において、日本のメディアは極めてガラパゴス的です。なぜ全く報じないかというと、これまで「イスラム国」のテロの全ては日本国外で発生しており、日本人被害者もごくわずかで、日本は対「イスラム国」有志連合に参加してはいるものの戦闘行為は行なっておらず、日本国内では「イスラム国」テロ細胞も確認されておらず、日本人「イスラム国」戦闘員やその家族の帰還問題もほとんどない上に、「イスラム国」によって発生した難民もほとんど受け入れていないからです。要するに「ひとごと」だからです。

翻って中東・アフリカ、欧米、東南アジア諸国などについて考えると、上記全てが「私ごと」です。多くの国が「イスラム国」テロを経験し、それによって自国民を失い、自国軍が「イスラム国」と直接対峙しているところも少なくなく、国内では頻繁に「イスラム国」関係者が拘束されたりテロ未遂事件が発生したりし、元「イスラム国」戦闘員や家族である自国民の受け入れは大きな社会問題となり、難民・移民問題は国を二分するような深刻な政治問題と化しています。一例を挙げると、ユーロポール（欧州刑事警察機構）は２０１８年に欧州

＊1　https://www.afpbb.com/articles/-/3238849

圏内でイスラム過激派組織に属している、あるいは支援しているとして逮捕された人は5万人を超えたと報告しています。

こうして考えると、日本にとって「イスラム国」がいまだに「ひとごと」であるのは、奇跡的であるようにも思われます。しかし日本人が「イスラム国」はもう消滅した、もうあの問題は終わったのだと「勘違い」してしまうと、それこそ「イスラム国」の思う壺です。

イスラム国にとって日本は「敵」

「イスラム国」は『コーラン』第59章2節、「だが神はかれらの予期しなかった方面から襲い、かれらの心に怖気を投げ込み、それでイスラム教徒たちと一緒になって、自らの手でかれらの住まいを破壊した。あなたがた見る目を持つ者よ、訓戒とするがいい」を、好んで引用します。2015年11月に発生したパリ同時多発テロ（130人以上死亡）の犯行声明冒頭で引用されたのも同章句でした。このテロを受けフランスでは全土に非常事態宣言が発令され、オランド大統領（当時）は「フランスは戦争状態にある」と述べ、テロとの戦いを改めて宣言しました。油断している「敵」を思いもかけないかたちで急襲するのは、「イスラム国」の好むやり方です。

「敵」と書きましたが、「イスラム国」にとっては日本という国家、日本人のほとんどが敵です。彼らのイデオロギー、行動の規範は『コーラン』とハディースです。そこにおいて非ムスリムは基本的に殺すべき敵と位置づけられ、キリスト教徒やユダヤ教徒といった「啓典の民」は条件つきでイスラム統治下に生存を認められるものの、私たちのような多神教徒も啓典の民も「被造物の中で最悪の者」（『コーラン』第98章6節）だと明示されています。

「イスラム国」の指導者はアブーバクル・バグダーディーという人物で、彼は全ムスリムの指導者たる「カリフ」を名乗っています。どんなムスリムも彼に忠誠を誓う「バイア」を経ることで、「イスラム国」入りすることができます。しかし「カリフに忠誠を誓う」というのは、独裁者たるカリフの命令に服す、という意味ではありません。カリフには、神の命令の集成であるイスラム法に従って統治を行うことが義務づけられています。ゆえに「カリフに忠誠を誓う」というのは、カリフの指導・統率下にカリフと共にイスラム法に従う、という意味です。イスラム法の主たる法源が『コーラン』とハディースです。

「イスラム国」は2019年に入り、バグダーディーの声明を2回公開しました。9月に公開された最新の声明でバグダーディーは、カリフ制再興宣言から5年を経て「イスラム国」はますます健在であると誇らしく告げ、神は我々を必ず勝利させるとおっしゃったのだからそのために忍耐し戦い続けよう、と呼びかけています。「真の信仰者は必ず勝利する」（『コーラン』第3章139節）、「神の勝利は近い」（『コーラン』第2章214節）など、『コーラン』には勝利を確約した章句が多くあります。『コーラン』の一言一句全てを神の言葉として文字通り信じるムスリムにとっては、イスラム共同体の勝利は「不確かな未来」ではなく「確実な未来」です。

バグダーディーの声明から読み取れること

同声明でバグダーディーは、ふたつの点を強調しています。

ひとつめは、「悔悟を受け入れよ」という点です。「イスラム国」が現在戦っている敵の多くは、「過ちを犯したムスリム」です。私たちからはムスリム同士が戦っているように見えますが、「イスラム国」はカリフ・バグダーディーに忠誠を誓わず不正な世俗国家や別組織に属す敵を、「不信仰者」や「背教者」などとみなしています。こうした敵が、もし過ちを認め悔悟し、カリフに忠誠を誓うのであれば、無下に殺すのではなく仲間に入れろ、というわけです。これは正統なイスラム法の規範でもあります。

実際たとえば、アフガニスタンでは現在も反政府武装勢力タリバンと政府軍が各地で戦闘を続けていますが、タリバンがアメリカと和平交渉を開始したことを「神への反逆」とみなし、「イスラム国」入りするタリバン兵が続出していると伝えられています。タリバンがカタールに事務所をおき、カタールの傀儡と化していることも、「誇り高い」タリバン兵の離反の一因となっているとされます。「イスラム国」は2019年8月には首都カーブルで60人以上が死亡する自爆テロを実行するなど、アフガニスタンでの存在感を日に日に強めています。

内戦終結に近づきつつあるシリアでも、敗走したアルカイダ戦闘員が東南アジアやアフガニスタンで「イスラム国」入りするケースが報告されています。2011年のいわゆる「アラブの春」でカダフィ政権が崩壊して以来混乱が続くリビアでも、敵対していた地元武装勢力やアルカイダが「イスラム国」入りすることで、「イスラム国」は「復活」を果たしています。「悔悟を受け入れよ」というバグダーディーの言葉からは、今の戦いを未来の発展へとつなげようという強い意志がうかがわれます。

ふたつめは、「拘束されている同胞の解放に努めよ」という点です。現在、多くの「イスラム国」戦闘員やその家族が、世界各国の刑務所や収容施設で拘束されています。中でも最も大規模なのが、シリアのホウルというところにある収容施設です。ここには「イスラム国」の女性メンバー約2万人と子供たち約5万人が収容されています。

男性メンバーがよりセキュリティーの厳しい刑務所に収容される一方、女性と子供がホウルの広大なキャンプに収容されたのは、人数が極めて多いということもありますが、基本的には「危険ではない」とみなされていたからです。ところが女性たちは、キャンプ内で支援活動を行う人や報道陣に靴や石を投げつけ「不信仰者め！」「売春婦め！」などと罵ったりするだけでなく、空き缶やナイフで警備員に切りつけるなど、強い攻撃性を露わにしました。またキャンプ内でも「イスラム国」と同様のイスラム法による統治を実行しようとし、それに従わないインドネシア人の妊婦や、ニカーブ着用を拒んだ一四歳の少女が殺害されるといった残虐な事件も発生しています。ホウルの「驚くべき」実情については、中東メディアだけではなく、『ワシントン・ポスト』や『ニューヨーク・タイムズ』といった西側の大手メディアも繰り返し報じています。

こうした実態を踏まえ、現在は「女性メンバーは危険ではない」といった認識は徐々に修正され、彼女たちは男性メンバーと同様に危険であり、また彼女たちによって数多くの子供が育てられていることもまた危険である、といった認識が広まりつつあります。

女性も過激な戦闘員に

2015年に「イスラム国」は、戦闘員が不足している場合は女性も戦闘に参加せよと義務づけるファトワー（イスラム法的見解）を発行し、2017年のモスル攻防戦では13人の女性が自爆攻撃を実行しました。「イスラム国」は全身を黒い布で覆った女性が銃を持ち戦う映像を公開したこともあり、「イスラム国」戦闘員の10人に一人は女性だとする説もあります。有志連合軍副司令官は2019年7月、ホウルで子連れの母親たちが過激な「イスラム国」イデオロギーを新たに醸成していることが、長期的には最大の懸念材料だ、と語りました。

ホウルに収容された外国出身の女性メンバーの中には、15歳の時、自ら「イスラム国」入りしたイギリス出身のシャミーマ・ベガムのように、「私は家事をしていただけ」などと主張し、帰国を求める人も現れました。一部メディアは彼女らを「イスラム国花嫁」と呼び、彼女らは「無実」で「無害」だと主張しました。しかしイギリス当局は彼女の市民権を剥奪し、帰国は認めないという判断を下しました。彼女を帰国させることで生じる治安上のリスクを避けることを、人権的配慮より優先させたからです。ドイツも帰国した「イスラム国花嫁」に禁錮5年の判決を下すなど、イスラム過激派をめぐる問題に関しては、欧米諸国でもいわゆる「政治的正しさ（ポリティカル・コレクトネス）」より治安維持を優先させる判断が下されるケースが増えてきています。

英紙『インディペンデント』は2019年7月、ホウルの女性たちはわかっているだけで少なくとも二つのクラウドファウンディングを立ち上げ、これまでに数千ユーロを集めており、ドイツに協力者もいたことが判明した、と報じました。チャットアプリ「テレグラム」に投稿されたビデオの中で彼女らは、「ホウルの姉妹を解放せよ」「不信仰者の下での生活はつらい」と主張したり、「金はペイパル（PayPal）で送れ。ただしイスラムに関わるキーワードは使うな。それはペイパルで禁じられている」と指示を出したりしていました。

同じく7月には、ホウルで女性たちが手作りの「イスラム国」の黒旗を掲げ、「兄弟たちよ、ジハードの炎に火をつけ私たちをこの監獄から解放してください」と請うビデオもSNSで広まりました。彼女たちはビデオの中で「神の敵」に対し、「お前たちは私たちを腐敗した施設に収容していると思っているだろう。だが私たちは時限爆弾だ。待っているがいい。今に見るだろう」と言っていました。

シリアにおける「イスラム国」最後の拠点バーグーズ陥落を前に、バグダーディーは女性メンバーに対し、敵に投降し敵を内部から切り崩せ、と命じたとも言われています。それが事実ならば、現在の彼女らの「過激な」行動も全て合点がいきます。

「イスラム国花嫁」やその子供たちは「かわいそうな犠牲者」であると想定していた西側メディアは、実際にホウルを取材し、想定とまったく異なる彼女らの実態を目の当たりにすると、まるで自らを納得させるかのように口を揃えて「彼女たちは極めて強く洗脳されているのだ」と説明しました。しかし「洗脳」があろうがなかろうが、彼女らの中に「イスラム国」のイデオロギーを強く信じ、過激行動を続けている人々がいるという事実はなにひとつ変わりません。

今の問題であり、未来の問題でもある

バグダーディーが9月の声明で戦闘員に対し、シリアで拘束され不正を被っている同胞たちを解放せよ、と呼びかけたのは、ある意味では極めて合理的だと言えます。彼にとってホウルにいるのは単なる「女性」や「子供」ではなく、「イスラム国」の未来の担い手です。彼女らが次々と子をなし「正しい」教育を行うことで、次世代の戦闘員が着実に育ち、「イスラム国」の灯火は永遠に途切れることなく続くのです。

もちろん、ホウルの女性たちの中にも色々な考えを持つ人がいることでしょう。しかし誰であれ、他者の心の中を目で見ることはできません。私たちに見えるのは、彼女たちの行動

だけです。

ホウル以外の刑務所に収容されている「イスラム国」男性メンバーも大きな懸念材料です。バグダーディー自身も、かつてイラクで米英が管理していた収容所キャンプ・ブッカに収監されていました。アルカイダの現在の指導者アイマン・ザワーヒリーも、かつてエジプトの刑務所に収監されていました。二人とも収監中に過激思想をさらに強め、人脈を築き、釈放後あらためてジハードに身を投じ、それぞれ世界の二大グローバル・ジハード・ネットワークの指導者となりました。刑務所がイスラム過激派思想の温床になっている点は、中東諸国だけでなく、アメリカでも、イギリス、フランス、オランダといったヨーロッパ諸国でも問題となっています。

バグダーディーの声明からは、彼が未来を見据えていることがはっきりと読み取れます。日本にとっては「ひとごと」にすぎない「イスラム国」は、世界の今の問題であり、かつ未来の問題でもあるのです。

追記：2019年10月31日

初代カリフ・バグダーディーは2019年10月に米軍作戦により死亡しました。「イスラム国」もこれを認め、彼の功績を称えた上で、合議において新しいカリフ、アブーイブラヒーム・アルハーシミー・アルクラシーが推挙されたと発表しました。新報道官は『コーラン』

第48章10節「あなたに忠誠を誓う者は神に忠誠を誓うものである」を引用し、支持者に新カリフへの忠誠の誓いを呼びかけ、バグダーディーの遺志を継ぎ世界征服実現までジハードを継続せよ、バグダーディー殺害でアメリカを喜ばせるな、と述べました。

なお、バグダーディーの死により本当に世界はより安全になったのか、彼はどのような立場にあり、彼の死はイスラム国や世界にどのような影響を与えうるか、トルコはテロ支援国家なのかといった問題についてはこちらの拙稿で論じました[*2]。

＊2　https://www.fnn.jp/posts/00048723HDK/201910281830_iiyamaakari_HDK

書簡Ｂ

イスラーム国について語ることの不可能性

中田考

序

今回は、飯山さんの提案で、８月７日付け以下のＡＦＰの記事を承けて、イスラーム国について、書くことにします。

米国防総省監察官室は６日、米軍が撤退を進めるシリアでイスラム過激派組織「イスラム国（ＩＳ）」が「復活」しており、隣国イラクでは攻撃実行能力をすでに強固なものとしていると報告した。
（ＡＦＰ　２０１９年８月７日）

イスラームについても、ムスリム社会についても知らない者に対して、イスラーム国について語ることは難しい、というより端的に不可能です。もちろん、イスラーム国だけでなく、スンナ派でも、ムスリム同胞団でも、ナクシュバンディー教団でも、フーシー派でも不可能と言えば不可能なのですが、それらとは別の意味でイスラーム国は不可能なのです。本当は「説明不可能」で話を打ち切りたいのですが、連載を引き受けた以上、そうもいかないので、頑張って分からなさが分かるように分かりにくい話をしてみましょう。

そもそも固有名詞ではない

というわけで、いきなり分かりにくい話をしましょう。名前がないと自他ともに不便なのでとりあえず便宜的に「イスラーム国」と呼んでいますが、それはただの名前です。イスラーム国は、２０１４年６月29日にカリフ制国家として生まれたことになっていますが、その前身は２０１３年４月に樹立された「イラクとシリアのイスラーム国」であり、「イラクとシリアのイスラーム国」は「二大河の国（イラク）のアルカーイダ」が２００６年10月に改称した「イラクのイスラーム国」と２０１２年にそのフロント組織としてシリアに作られた「シリアのヌスラ戦線」が合併したものです。

そもそもal-Dawlah al-Islāmiyah、The Islamic Stateは、「イスラーム的国家」、普通名詞であり、固有名詞ではありません。定冠詞がついているのは唯一のイスラーム国家であることを意味しています。それは「イスラーム国」を名乗ったのが、イスラームの唯一の合法政体カリフ制宣言と同時であったことからも明らかです。「イラクのイスラーム国」、「イラクとシリアのイスラーム国」は、自分たちがイスラーム法に則って統治するイスラーム国家ではあるけれど、それぞれイラク、イラクとシリアという地方政権でしかないため、全ムスリムにとってのイスラーム国、カリフ国家とは言い切れない、との彼らの自己理解を示していました。私はカリフ制樹立を目指していることでイスラーム国を支持していますが、全ウンマを統合するカリフ制国家が樹立される前にはイスラーム法に則って統治する地方的イスラーム国家は神学的、法学的に存在しえない、と考えているため、イスラーム国とは国家観が根本的に違っています。

固有名がないことは実はイスラームでは珍しくありません。そもそも「イスラーム」も「ムスリム」も特定の宗教、信徒の固有名ではありません。ムハンマドだけでなく、モーセやイエスなどの全ての預言者の教えもイスラームであり、モーセに従った者たち、イエスの弟子たちもムスリムです。真の神に仕える信者はすべてムスリムなのです。

話を戻しましょう。実は、預言者ムハンマドが樹立した国家、というより政体にはいかなる名前もありませんでした。預言者ムハンマドの後継者となったアブー・バクル、ウマル、ウスマーン、アリーの４人の高弟たち正統カリフの時代の政体にも名前はありませんでした。ウマイヤ朝さえ、後の歴史家たちが名付けた王朝名でしかありません。そもそも唯一の合法政体であるカリフ制国家自体には固有名はいらないのです。

ムスリム世界はネットワーク社会

法人概念を持たないネットワーク社会であるムスリム世界を理解するには、名前があるからといって、それに対応して我々が考えるような「組織」があると思うのは誤解で判断を誤ることになります。イスラーム国も同じです。イスラーム国の源流はアルカーイダですが、アルカーイダは、サラフィー・ジハード主義者の連合体です。サラフィー・ジハード主義者は、今や民族、国籍を問わず世界中に広まっています。

サラフィー・ジハード主義の発祥の地は二つあります。サウディアラビアとエジプトです。サウディアラビアはまだオスマン帝国のカリフが健在だった時代の「古い」サラフィー・ジハード主義ワッハーブ派の国であり、ワッハーブ派を建国の理念として建国されましたが、第三次王国の建国後ジハードによる領土拡大を放棄したので、現在のサウディアラビアは国家としては「修正」ワッハーブ派・サラフィー・ジハード主義の国です。サウディアラビアについては拙著（中田考『サウディアラビアとワッハーブ派』現代政治経済研究社、2018年、『イスラーム学』「13節　ワッハーブ派の政治理念と国家原理――宣教国家サウディアラビアの成立と変質」作品社、2020年）を参照してください。

もう一つの国エジプトでは、領域国民国家システムがムスリム世界を覆いつくした現代世界に対応するサラフィー・ジハード主義の新しい理論形成が１９６０年代から行われてきました。１９８１年にサダトを暗殺し、エジプトにサラフィー・ジハード主義に基づくイスラーム国家を樹立しようとしたジハード団とイスラーム集団がこの「新しい」サラフィー・ジハード主義者の代表格です。現在のアルカーイダの指導者アイマン・ザワーヒリーはこのジハード団の出身です。

サダト暗殺以降、アラブの強権的な独裁体制の下で、サラフィー・ジハード主義者は過酷な弾圧に晒されます。そのためこれらのグループは、メンバーの一人が捕まり拷問を受けて内部情報を漏らしても全員が一網打尽にならないように、「房状（ウンクーディー）」と呼ばれる互いに連絡のない独立した少人数の細胞がネットワーク状にゆるやかに繋がる秘密組織の構造を取ることになります。イスラーム国もこういったグループの寄せ集めです。

彼らはイラク、シリア、チュニジア、エジプト、サウディアラビア、チェチェン、ロシア、新疆ウイグル地区などからやって来たそれぞれの民族、文化的出自を背負ったばらばらの寄せ集めの集団です。伝統イスラーム学の修行でなく、近代西欧的教育システムの落とし子であるイスラーム国は西欧諸国の児童洗脳教育の真似をして初等中等教育から子供たちに自分たちのイデオロギーを教え込もうとしていましたので、イスラーム国の領土の支配が20年ほど続いていたとしたら、「イスラーム国」の思想や戦略について語ることが意味を持つような等質な集団が出来上がっていたかもしれませんが、残念ながらそれは夢に終わりました。

「近い敵」と「遠い敵」

そもそもイスラーム国とアルカーイダはもともと同じサラフィー・ジハード主義で、イデオロギー的違いは小さいのですが、一番の違いは、イスラーム国は所謂「近い敵」理論で、ムスリムを自称するシーア派、スーフィー、世俗主義者を主要敵とみなすのに対して、アルカーイダは「遠い敵」、シオニストと十字軍、つまり異教徒、中でも欧米をターゲットにしていることです。そしてサラフィー・ジハード主義の本筋は、背教者は異教徒より悪質であるとのイスラーム学の合意に基づく「近い敵」理論によって、異教徒と戦う前に先ずムスリム世界を正すことです。

ですからイスラーム国は、イスラームにもヒューマニティーにも反する領域国民国家システムから独立した実効支配を実現する空間を確保すると、カリフ国の再興を宣言し、理想のイスラーム国家づくりを始めました。非ムスリムの研究者たちは、イスラーム国のジハードの呼び掛けばかりを取り上げましたが、イスラーム国のムスリムたちに対する第一のメッセージはヒジュラ（移住）であり、移住が可能なすべてのムスリムにイスラーム国への移住を呼びかけました。私もイスラーム国に先に移住したジハード団の友人たちから何度も早く移住するようにと誘われました。私がイスラーム国に足を運んだのも、移住する前提で、イスラーム国が移住すべきカリフ国の実体を備えているかどうかを調査、研究するためでした。まぁ、御存知の通り残念ながらその希望は叶わなかったわけですが。

　イスラーム地域研究の本来の役割は、こうしたイスラーム国の特徴を正しく理解し、ヒジュラの呼び掛けと、いかなる国造りを目指しているのかを客観的に分析することでしたが、実際には、グローバル・ジハードなどという愚にもつかない概念を使ってイスラーム国の危険を言い立て、イスラーム国に軍事侵攻をした欧米諸国の政策決定者たちの片棒を担ぐことに終始したのは、まぁ、予想通りだったとはいえ、残念なことでした。

　ジハードの「危険」を論ずるイスラーム地域研究が無意味であるだけでなく有害なのは、まず「危険」という概念自体の欺瞞性です。読者の皆さんも多分初めて聞く話だと思うので丁寧に説明しましょう。そもそも「危険」というのは、現時点では「存在しない」、ということです。イスラーム国のメンバーが欧米でテロを起こす「危険がある」と、いうことは現実にはそのメンバーはまだ「テロを起こしていない」ということです。一方でイスラエルのパレスチナ占領を別にしても、欧米は、ムスリムの土地イラク、アフガニスタンで欧米の唱道する人権を蹂躙する腐敗した現地の傀儡政権を財政的、軍事的に支援し、ムスリム住民の殺害に間接的に加担しているだけでなく、正規軍を駐留させてサラフィー・ジハード主義者を殺害していることは、「存在しない」「空想上」の危険ではなく、「存在する」「現実」です。イラクもアフガニスタンも欧米が正規軍を送って現地のムスリムを殺害し占領して傀儡政権を作った国ですが、どちらも破綻国家化し、傀儡政権の軍隊と駐留軍によってサラフィー・ジハード主義者だけでなく一般市民も「巻き添え」で日常的に殺害されていますが、それらは日本ではほとんどメディアも報じず研究もありません。

イスラーム地域研究がなすべきことは空想上の危険についての妄想を語ることではなく、まず現実に起きている事態を客観的に伝えることでしょう。イスラーム国の「テロ」は現実に起こっているではないか、と言われるかもしれませんが、全く違います。アメリカを筆頭とする欧米諸国によるムスリム諸国への侵略とムスリムの殺害行動は、関わった人間の個人的な事情や心理とは無関係に、国家の安全保障戦略の一部として公式に立案され、予算をつけられた総合的な戦略から個別の作戦までのプロセスが、大統領から防衛省、現場までの指揮命令系統を文書で辿って確認し整合的に理解、分析する対象となりうる「事実」です。

一方、イスラーム国が行ったとされる「テロ」は、「テロ」を行ったとされる個人、あるいはグループがそれぞれの事情と思惑にそって行ったものであり、イスラーム国の中枢からの指揮命令系統と具体的な命令が明らかにされたものではありません。そのようなものはイスラーム国のメンバーの個人的行動に過ぎず、「イスラーム国の行動」とは呼べません。

それらの「テロ」事件を「欧米人は異教徒の敵だから殺せ」とイスラーム国が呼び掛けているから、というだけで「イスラーム国が行った『テロ』」だ、と論じても何も言ったことになりません。その「実行犯」が「欧米人は異教徒の敵だから殺せ」とイスラーム国に命じられたからその「テロ」を行ったとするなら、欧米だけでも何千、何万人といるイスラーム国のメンバー、あるいは支持者が、なぜ同じ命令を受けながら同じようなテロを起こさなかったのか、の説明ができないばかりでなく、同じその「実行犯」でさえ、なぜその時にそこで「テロ」を起こしたかさえ説明できません。

もし「実行犯」が「異教徒を殺せ」という命令に従ったのであれば、その命令を受け取った後で最初に道で出会った異教徒から手当たり次第に全員を殺さなければならないはずです。ところが欧米在住であれば、それから「テロ」を実行するまでに、何千、何万人もの異教徒に出会っているはずですが、なぜそれらの異教徒は殺さなかったのか、が説明できません。イスラーム国のメンバーの殆どが、出会った殆どの異教徒を殺していない以上、「イスラーム国が異教徒を殺せと命じたから『テロ』を起こした」との説明が意味をなさないことが理解できたかと思います。また「テロ」対策としても実用的観点からも、「イスラーム国は『異教徒を殺せ』と言っているからテロを犯す危険がある」と言うのは、「クルアーンに『多神教徒は見つけ次第殺せ』（9章5節）と書いてあるからムスリムはテロを犯す危険がある」と言うのと同じで無意味です。

ニヒリズムの帰結としてのテロ

近代的な意味でのヨーロッパ語の「テロ」の用法は、フランス革命のロベスピエールの恐怖（テロール）政治に始まり、「テロ」とは元来国家による反体制派の粛清、弾圧を指すものでした。暗殺などが「テロ」と呼ばれるのは、ロシアでのニヒリスト（虚無主義者）たちによるロシア皇帝アレキサンドル2世やセルゲイ大公の暗殺などに始まります。ドストエフスキーの小説『カラマーゾフの兄弟』のイワンの有名な言葉「神がいなければ全てが許される」はこのロシアのニヒリズムをテーマにしたものであり、『罪と罰』の無神論者ラスコーリニコフは、「選ばれた優れた人間は善悪を自らで決めることができ、時には人を殺すことも許される」と考え、強欲な金貸しの老婆を殺し金を奪います。

20世紀、21世紀をニヒリズムの世紀であると予言したのはニーチェでしたが、現代の日本においてもニーチェの予言が成就し、ニヒリズムが蔓延しつつあるように見えます。1995年の14人が死亡した地下鉄サリン事件を始めとするオウム真理教が引き起こした多くの殺人事件、児童8人が死亡した2001年の池田小学校殺人事件、7人が死亡した2008年の秋葉原通り魔殺人事件、19人が殺された2016年の相模原の障害者施設殺人事件などは、私の目には人間に聖法を授ける一なる創造神を否定する無神論、自己神格化に行きつく多神教の必然的帰結に思えます。

私から見れば、「全てが許されている」として自己神格化に行きつく無神論、多神教が殺人、強盗、「テロ」に帰結するのは当然と思えますが、読者の大半は、「殺人やテロを許容する無神論者や多神教徒はいつでも殺人や『テロ』を犯す可能性がある危険分子である」、と言われても、承服できないでしょう。実際に自分自身や周りの家族や友達など知っている範囲の誰もそんなことはしていないのですから。

いくら「『テロ』を犯す可能性がある」と言われてもリアリティーを感じないのは当然です。日本における「イスラーム国が危険だ」といった類の言説は、ムスリム世界、あるいはセム的一神教の世界で、「無神論者や多神教徒は何をするかわからないから危険だ」と言われるのと同じです。理論的には、無神論や多神教はすべてを許容するので、確かに「何をするかわからない」「『テロ』を犯す可能性がある」と言うことは、間違ってはいません。実際に日本でも何件も「テロ」が起きていますからなおさらです。しかし日本人であれば、論理的にはそうであっても無神論者であれ多神教徒であれ、絶対多数は普通は殺人もテロも起こさず平穏に一生を終えることを知っていますから、そういう言説が世間的に通用せず、ミスリーディングでしかないことは自明なので、そういう言い方はしません。

何を考えているか分からない相手とも共存はできる

私も仏教と神道の家に生まれたごく一般的な生まれながらの日本人なので、一般の日本人に対して、「神を信じてもいないのにどうしてこの人たちはいろいろな決まり事や慣習を守っているのか」、「なぜ強盗も殺人も犯さないのか」、不思議ではありますが、何を考えているのかは分からなくとも、日本人たちが実際に規則を守り法を破らず生きていることは経験上知っているので、どう付き合えばいいのかは分かります。特に怖いとも思いませんし、危険だ、と警戒して暮らしているわけでもありません。人間だけでなく、犬でも猫でも同じです。犬は咬み、猫は引っ掻くものですが、長年一緒に暮らしていれば、こちらが理不尽に蹴ったり叩いたりしない限り、いきなり咬みついたり、引っ掻いたりしてこないことは分かります。犬や猫が何を考えているのかは分からなくとも、仲良く暮らしていくことができます。そんなものです。

クルアーンに「多神教徒は見つけ次第殺せ」と書いてあるからといって、「ムスリムは危険だ」、「イスラーム国は危険だ」と言うのがばかばかしいことは、ムスリム社会の住人たちであれば事実として知っています。それは「無神論者や多神教徒は従うべき聖法がないから危険だ」と言うのが的外れなのを日本人が事実としている知っているのと同じです。

特に日本国内においてはこれまで「イスラーム過激派」による被害はゼロですし、今後も東京五輪などで仮に起きるとしてもせいぜい年間数件でしょう。日本では落雷で毎年ほぼ十数人の被害が出ていますので落雷の危険を真剣に訴えない人が、「イスラーム・テロ」の危険を叫ぶのは滑稽でしかありません。統計学や確率論を勉強しましょう、という以前の話です。

問題設定そのものの誤り

しかし、クルアーンに「多神教徒は見つけ次第殺せ」と書いてあるからムスリムは、あるいはジハード主義者は「テロ」を起こす、という「説明」がナンセンスだからといって、欧米によるイスラーム世界への侵略、搾取、イスラーム・フォビアなどで「イスラーム・テロ」の発生を説明するのもやはり間違いです。そのようなことがあっても一般のムスリムは言うまでもなくジハード主義者でさえ絶対多数は「テロ」に走らず何事もなく過ごしているこことが「説明」できないからです。「多神教徒は見つけ次第殺せ」とクルアーンが教えているからテロが起きる、という「説明」がダメなのと同じです。実はダメなのは、いろいろな「説明」の内容ではなく、イスラーム国やサラフィー・ジハード主義者の行動を「テロ事件」、「治安問題」として論ずる問題設定そのものです。

それぞれ異なるさまざまな極めて私的な事情によってなされるにもかかわらず、さまざまな社会で統計的に毎年ほぼ一定の率で起きることから、自殺という一見すると個人的な現象の背景に、個人の事情、意識には還元できない「社会」があることを明らかにしたのが社会学の祖の一人デュルケムの『自殺論』です。こうした社会学の基本的全体を知っていれば、個人の環境、動機、思想に還元しミクロな「治安問題」「テロ犯罪」に矮小化するアプローチでは、イスラーム国、サラフィー・ジハード主義者の個々人の行動を予想することができないだけではなく、そのマクロな原因を知ることも、その行動の意義を理解することもできないことが分かります。

「イスラーム・テロ」にあいたくないなら、私のように家に籠っているのがベストです。しかし働いていてそうもできないなら、「イスラーム過激派」についての本など読んでも仕方ありません。たまたまムスリムと接触する機会があったなら、酔って絡んで無理やり酒や豚を口にさせようとしたり、女性のスカーフを脱がそうとしたりしないように気を付けさえすれば十分です。中学校の倫理社会で習う程度のイスラームの知識さえ身につけておけば、後は「人間として」普通の良識があれば良い、それだけのことです。

カリフ制を宣言したことの意味

ではイスラーム国のことなど考えなくてよいのでしょうか。そうではありません。確かに「治安問題」として「テロ組織」イスラーム国のことを偏った情報のみに基づいて考えるのは無意味です。そうではなく、考えるべきは、イスラーム国が目指したカリフ制の理想です。第一便でも書いた通り、15億人とも言われる自称他称のムスリムの殆どはムスリムの名に値しない屑ばかりです。中でもカリフ制の再興を真剣に目指して生きているムスリムなど、1万人に一人いるかいないでしょう。その中でも「ヒューマニティーと法の支配」というカリフ制の基本を理解している者は千人に一人いるでしょうか。ましてやカリフ制の真義を理解している者など一人もいないかもしれません。もちろん、私もそうです。

しかし、にもかかわらず、イスラーム国がカリフ制を宣言したことで、危機感を強めたシーア派の活動が活発化すると同時に、漸進的なカリフ制再興を目指していたムスリム同胞団とトルコのナクシュバンディー教団のカリフ制再興の動きが加速化する一方で、サウディアラビアとエジプトを筆頭にカリフ制再興を阻止しようとするスンナ派諸国がイスラーム国への敵対を強めて自壊しスンナ派アラブ世界の政治秩序が溶解しつつあるのは厳然たる事実です。またイスラーム国の「ヒューマニティーと法の支配」の理想を暴力的に圧殺した西欧は、彼らが生み出した「ムスリム難民」のEUへの流入によって、自由、平等、人権、民主主義の擁護者の偽善の仮面をはがされ、排外主義の極右が台頭しつつあります。西欧に先んじて、イスラーム国の前身であるアルカーイダとの戦いの中で「テロとの戦いの名の下」に自国民の自由を制限し警察国家化を進め、自由、平等、人権、民主主義の建前を腐食させていったアメリカは、イスラーム国を悪魔化し続けることでその鏡像となり、遂にリベラルの理想を嘲笑うトランプ大統領が誕生しました。また新疆ウイグル自治区から中央アジアを介してトルコに広がるチュルク・スンナ派ベルトのイスラームに基づく団結、カリフ制再興を阻止することを隠れたアジェンダとして結成された上海協力機構は、イスラーム国のカリフ制再興を契機に、帝国として復活したロシア、中国を中心にインドやイラン、トルコもオブザーバーとして加わり、アメリカを中心として世界のヘゲモニーを握ってきた「西側先進国のクラブ」としてのG7に代わって、文明の再興と帝国の復活の時代における新たな世界秩序の調整弁になろうとしています。

まぁ、こうした話は読者の皆様にはきっと何を言っているのかさっぱり分からないと思いますが、イスラーム国については、本稿をここまで読んでもらえば、取りあえず、冒頭で申し上げた「分からなさ」はよく分かってもらえたと思います。それだけでは不満だ、もう少しは分かりたい、と思う人は、拙著（『イスラーム国訪問記』現代政治経済研究社、２０１９年）をアマゾンで買って読んでみてください。もちろん、私の見たイスラーム国は、しょせんは「私が見たイスラーム国」でしかありませんが、イスラーム国を悪魔化して描くことでベストセラーになることが見込まれたり、イスラーム国をテロ組織として描かないとテロリストの仲間として犯罪者にされかねない国々で出版された書物などよりは、拙著の方が「客観的」、「中立的」であり、イスラーム国の日常のリアルを切り取ったものだとは言い切れます。

追記：２０１９年11月２日

これを書き終えた後、２０１９年10月26日、イスラーム国の指導者アブー・バクル・バグダーディーがアメリカ軍によって殺害されたとの報道が世界を駆け巡りました。ＩＳは直ちにバグダーディーの死を確認し、彼の後継者としてアブー・イブラーヒーム・クラシーが新しいカリフに就任したと発表、報復を呼びかけました。報道によると生前のバグダーディーは電子機器を使わず、身近には側近しか置かず、連絡は人づてにおこなっていました。本文で書いた通り、ＩＳにはもともとしっかりした指揮命令系統は存在せず、特にモスルとラッカの陥落後はそうでした。カリフ・バグダーディーの地位は名目的なものであり、細かい作戦行動の具体的な指揮をとってはいなかったでしょう。

バグダーディーが死んでも何も変わりません。報復を呼びかけたといっても、もともと欧米とも、ムスリム諸国とも戦っていたのですから何も変わりません。またバグダーディーの死の報告に際しても、新しいカリフを選出するイスラーム法上の義務に応えたのがＩＳだけだった、という点でも何も変わりません。そして変わらない、ということで、イスラーム世界は目覚めてカリフの下にまとまるまでこれからもますます混迷を深めていくことでしょう。

第三書簡

トルコ、クルド問題について

書簡A

トルコの「平和の泉」作戦の背景を読む

中田考

序

トルコは9日、シリア北東部のクルド人民兵組織に対する軍事作戦を開始した。アメリカのマイク・ポンペオ国務長官は、この作戦を「承認」していないと述べるとともに、軍事行動の引き金になると批判を受けている、同地域からの米軍撤退を擁護した。*3

（BBC　2019年10月10日）

今回のテーマは、トルコ対クルドの問題と誤って報じられているトルコのシリア進攻「平和の泉」作戦についてです。この問題には複雑な歴史的経緯と国際政治の背景がありますが、まずは、「平和の泉」作戦自体について概説しましょう。

「平和の泉」作戦とは、トルコ国内で殺人、傷害、誘拐、強盗などの犯罪を重ねてきた「テロ組織」PKK（クルディスタン労働者党）のシリアにおけるフロント組織YPG（クルディスタン人民防衛隊）を中核とするシリア民主軍をトルコ／シリア国境から30kmにわたって排除して緩衝地帯を設置するために、トルコ軍によって行われたものです。

私自身は、いやしくも客観性を標榜する社会科学者であれば、「テロ」という言葉は価値中立的、客観的に「政治的目標を達成するための暴力による威嚇」の意味で使うべきであり、トルコであれ日本であれアメリカであれ、あらゆる国家を軍隊と警察という暴力装置を中核とする「テロ組織」と呼ばなければならないと考え、常々啓蒙に努めていますが、今回はその話には踏み込みません。本稿でPKKを「テロ組織」と呼ぶのは、欧米の政府やメディアの用法にならってであり、他意はありません。日本でもPKKは公安調査庁が発行している『国際テロリズム要覧』にテロ組織として記載されています。

話を戻しましょう。エルドアン大統領もトルコ政府も、「掃討の対象となるのはクルド人ではなくテロ組織（PKK‐YPG）である」と繰り返し述べているにもかかわらず、欧米でも日本でも未だに、トルコ人とクルド人が敵対している、エルドアン政権がクルド人を迫害し

＊3　https://www.bbc.com/japanese/49995744

ている、といった論調の記事が後を絶ちません。なぜそれが間違いで、どうしてそのような誤った言説が罷り通るのかを順に説明していきましょう。

しかし、その前にまず「クルド人とは何か」からお話ししないといけないでしょう。

クルド人とは何か

クルド人とは、インド・ヨーロッパ語族イラン語派に属するクルド語を話し、トルコ、イラク、シリア、イランにまたがって住む山岳民で、2500万〜3000万人の人口を擁する民族です。ちなみにクルド人が「国家を持たない最大の民族」などというプロパガンダがまことしやかに囁かれていますが、真っ赤な嘘です。そもそも「民族が国家を持たなければならない」などというイデオロギーは、アジア・アフリカを植民地化した西欧が世界中に広めた病弊ですが、欧米以外では全くと言ってよいほど機能していません。たとえばジャワ人は約1億人で、インドネシアの総人口の半分弱を占めていますが、インドネシアはジャワ語を公用語とせず、ヌサンタラのリンガフランカであったマレー語を国語としました。ジャワ人はジャワ人の国ではなく多民族国家インドネシアに生きることを選んだのです。またパンジャーブ人はパキスタンの最大の民族で9000万人以上が住んでいますが、パキスタンはパンジャーブ語ではなくウルドゥー語を国語とし、パンジャーブ人の国ではありません。またインドにも3000万人以上が住んでおり、パンジャーブ語は22の公用語のひとつですが、言うまでもなく、13億人のインドの中では取るに足らないマイノリティーです。つまりクルド人より1億人多いパンジャーブ人でさえも、国など持っていないにもかかわらず、独立運動なども起こさず他民族と共存しているのです。

３０００万人程度の国家を持たない民族は、たとえばアフリカのナイジェリアやニジェールなどに住むハウサ人など世界にいくらでもあります。欧米や日本でトルコとクルドの対立をあおっているクルド人活動家たちが、欧米人や日本人の中東に対する無知につけこみ「クルド人は国家をもたない最大民族」などという大嘘を平気でつく厚顔無恥なデマゴーグであり、それに騙されて「悲劇のクルド人」などというお涙頂戴のお伽噺を捏造してまき散らしているメディアや人権団体などは頭の弱い無知なお人好しであることは知っておいた方が良いでしょう。

クルドとトルコの民族対立はあるか？

クルド人の話に戻ると、「クルド人」という言葉は、私が読んでいるイブン・タイミーヤ（１３２８年没）の著作の中にも出てきますし、中東では古くから知られた山岳民族です。十字軍戦争で寛大な騎士として敵の西欧人からも称賛されたサラディン（１１９３年没）もイラクのティクリート出身のクルド人でした。サラディンは１１７１年にアッバース朝のカリフに忠誠を誓い、エジプトにアイユーブ朝という王朝を建てますが、アイユーブ朝がクルド人の国家だったわけではありません。そもそも西欧の民族主義のイデオロギーに汚染される以前には多民族、多宗教、多言語、多文化であることがデフォルトだったムスリム世界では、「特定の民族の国家」を語ることには殆ど意味がありませんでした。16世紀には、中東からインド亜大陸にかけて、オスマン朝、サファビー朝、ムガール朝の三つの帝国が鼎立します。この三つの帝国の創始者は全てトルコ（チュルク）系ですが、サファビー朝はすぐにイラン化され、ムガール朝は宮廷言語としてはペルシャ語が話されましたが、民衆はヒンドゥー語とペルシャ語が融合したウルドゥー語を話すようになります。オスマン帝国でさえ、「オスマン人」たちは、帝国を多民族国家だと考えており、トルコ人の国だとは考えていませんでした。オスマン帝国をトルコ人の国と考えたのは西欧の誤解でした。私の世代はその影響で中学高校で「オスマン・トルコ」と習ったので、まだ「オスマン・トルコ」と呼ぶ者が多いですが、中東史家やイスラーム学者にはもう「オスマン・トルコ」の名称を使う者はいません。

「トルコ人」の国が出来るのは、西欧の影響を受けた「青年トルコ人（統一と進歩委員会）」らトルコ民族主義者たちによって１９２２年にスルタン－カリフ制オスマン帝国が滅ぼされ、１９２３年にトルコ共和国が樹立されてからです。スンナ派ムスリムの盟主として、カリフの下に多民族、多宗教の共同体が緩やかに共存するイスラーム法の法治空間であったオスマン帝国（カリフ国）は、西欧的な世俗国家、トルコ人の領域国民国家トルコ共和国に生まれ変わりました。１９２４年には儀礼的なカリフも廃位、追放されます。

冒頭から、エルドアン政権のシリア進攻をトルコ対クルドの民族対立の図式に落とし込むことを批判してきましたが、かといってトルコ対クルドの民族対立が過去に全く存在しなかったというわけではありません。オスマン帝国からトルコ共和国の転換によって、構造的なトルコ人とクルド人の民族対立が生み出されたのは事実だからです。

西欧列強による分割植民地化

第一次世界大戦で敗れたオスマン帝国は、1920年のセーブル条約によって連合国の民族自決のイデオロギーを口実に解体され、アナトリアを中心とする「トルコ人」の土地以外の広大な領土の全てをフランス、イギリス、イタリア、ギリシャなどに奪われ、「トルコ人」の領域国民国家に切り詰められました。この時、アラブの地も奪われましたが、アラブ民族の独立が認められたわけではなく、委任統治などの美名の下に、西欧列強の都合によって恣意的に分割植民地化されることになったのでした。これが今日にまでいたるアラブの分裂の根源ですが、それはまた別の問題です。

しかしこのセーブル条約に不満なケマル・パシャらは大国民会議（アンカラ政府）を組織し、さらなる領土を求めて攻め入ってきたギリシャ軍を破り、セーブル条約を破棄させ、新たにローザンヌ条約を結び直し、失地をある程度回復します。このセーブル条約で列強がクルド人の自治区を作る約束をしていましたが、1923年のローザンヌ条約ではその条項は廃棄され、クルド人は、トルコ、仏領シリア、英領イラク、イランに分かれて住むようになりました。このクルド人に独立を与えると約束した――といっても本当はアラブ諸国が第二次世界大戦後になっても独立を許されなかったことからも分かるようにただの空手形だったのですが――セーブル条約が、クルド人の分離独立運動に火をつけたのでした。

1920年から、トルコ領でクルド人の独立運動と呼ばれる反乱が起きます。しかしクルド人にはまとまりがなく全て失敗に終わりました。そうした反乱の中で最大のものが1925年のシャイフ・サイードの反乱です。といってもシャイフ・サイードは、ナクシュバンディー教団の導師であり、クルド民族の国民国家を建国しようとしたわけではなく、スルタン・カリフ制の再興のためにトルコ共和国との戦いを許すファトワーを発し、反乱の指導者に担がれたのでしたが、反乱が失敗すると反逆罪で処刑され、スーフィー教団は禁止され、公的な場でクルド語を使うことも禁止されます。

国民国家としてのトルコ共和国が成立したことで、トルコとクルドの民族対立の構図が準備されましたが、特に1925年以降、クルド人への構造的弾圧が現実化します。クルド語の使用が公的な場で禁じられただけでなく、クルド人はトルコ人の一種である「山岳トルコ人」と呼び変えられ、その存在さえ否定されることになったのでした。

左右の過激派の対立の激化

トルコにおけるクルド問題に話を戻すと、こうした状況下で1978年に結成されたのが「テロ組織」PKKです。現在の若い人たちはもう実感がないと思いますが、当時はまだ東西冷戦期で、人類は共産主義（民主集中制）と資本主義（自由民主主義）のいずれかに収斂すると考えられていました。トルコは、東側（ソ連・東欧）の共産主義と西側（アメリカ・西欧）が対峙する最前線に位置し、共産主義に対する西側の防波堤の役割を負わされていました。トルコが唯一のムスリム・マジョリティー国家として欧米の軍事同盟であるNATO（北大西洋条約機構）の加盟国であるのも、この冷戦期におけるトルコの地政学的な特殊事情によるものでした。

東西冷戦の前線国家トルコでは「左右の過激派」の対立の激化、テロの頻発により政党政治が機能不全に陥り、軍が介入しクーデターが起きます。冷戦の文脈における「左」の代表的組織の一つがPKKであり、「右」の代表は「極右」MHP（民族主義者行動党）とエルバカンのMSP（国民救済党）でした。このクーデターで「右」のMHPとMSPは非合法化され、エルバカンは逮捕され政治活動を禁じられましたが、PKKも弾圧を蒙り多くのメンバーが逮捕され、党首のアブドゥッラー・オジャランはシリアに亡命します。

実はこの時期は、世界を理解するには共産主義と資本主義だけではなく、イスラームを理解する必要があることが明らかになりつつある時期でした。そのきっかけは1979年のイラン革命です。私はイラン・イスラーム革命をきっかけにイスラーム研究を志しましたので、私自身は、トルコ政治のダイナミズムを最初からイスラームと世俗主義の対立とみなしていましたが、冷戦の構図では、イスラーム主義とトルコ民族主義は区別されず「右」の保守勢力に対し、共産主義、クルド独立主義は「左」の革命勢力とみなされ、世俗主義の砦である軍部は、中立のバランサーとみなされていました。

1980年の軍部のクーデターは、世俗主義を否定するエルバカンを逮捕し政治活動を禁止すると同時にクルド人の独立を目指しトルコの一体性を脅かすPKKへの弾圧を強め、クルド語の公的な使用ばかりでなく、私的な使用も禁止しました。それに対して、PKKは1984年から本格的な武装闘争路線を開始します。このPKKの武装闘争の過程で市民を含む4万人弱の死者が出ただけでなく、約4000のクルド人の村が破壊され100万のクルド人が家を追われ10万人以上が逮捕されたと言われています。

一方で「イスラーム主義者」は何度も政党を解散させられ、政治活動を禁止されながらも、合法路線で勢力を拡大していきました。そしてトルコの「イスラーム主義」の台頭の立役者は、生前は公言しませんでしたが――公言すると世俗主義に反し逮捕されるので――ナクシュバンディー・スーフィー教団員であったトルグト・オザル（第45、46代首相、第8代大統領、1993年没）とネジュメティン・エルバカン（第54代首相、2011年没）の二人でした。エルドアンの師匠でもあり、トルコのイスラーム主義の発展における重要性はエルバカンの方が優りますが、トルコ・クルド問題に関してより重要なのはオザルです。というのは、オザル自身がクルド人であり、１９９０年代にカミングアウトし自分がクルド人であることを公言したからです。

そこで次にトルコのクルドの現状とその問題点についても概観しておきましょう。初めに書いた通り、ケマル・アタチュルクがトルコ人の国としてのトルコ共和国を作り上げた時、クルド語の公的な場での使用を禁ずるなど、クルド人に対する構造的差別、抑圧が始まったのは事実です。つまりクルド人は、自分たちがトルコ人ではなくクルド人であると主張するだけで、トルコ人の国であるトルコ共和国には居場所を失うことになったのです。

そしてその迫害は、１９７０年代になっても続いていました。しかし１９８０年代に入るとエルバカンとオザルの主導の下で、もともと民族で差別をしないイスラームの連帯を実践するナクシュバンディー教団のトルコ人とクルド人のイスラーム主義者の努力により、徐々にクルド人の権利が認められるようになります。

１９９１年にはクルド語の禁止は解かれ、オザル大統領は自分がクルド人であることを公表しますが、クルド人との和解が本格化するのは、イスラーム政党ＡＫＰ（公正発展党）を率いた新しい世代の「イスラーム主義者」エルドアンが政権を取り２００３年に首相に就任してからです。２００４年にはクルド語のテレビ局、ラジオ局が開局されます。これは単にクルド語の使用を解禁したというだけでなく、建国以来のクルド人の存在否定の政策の転換を示す画期的な出来事でした。80年にわたってクルド人の存在を否定してきたケマリズムの過激なトルコ民族主義に抗ってクルド人の存在を認めクルド語の使用を求めたばかりかクルド語のラジオ、テレビ局開設にまで持ち込んだのが「イスラーム主義」のＡＫＰとエルドアンだったのです。「テロ組織」ＰＫＫではなくクルド人自体を弾圧しているとエルドアンを批判することが言いがかりでしかないことは明らかです。しかしそのことは80年にわたるケマリストの「クルド人差別」の負の遺産が解消されたことも、エルドアンとＡＫＰによるクルド問題への対応が完全であったということも意味しません。

クルド人は歴史的に山岳民でありクルド地域はトルコの中でも経済的に「後進地帯」であり、たとえ言語的差別がなくなっても経済的不平等はなくなったわけでもなく、トルコ民族主義者たちによる社会的差別が完全になくなったわけでもありません。またもともと貧しく差別されていた上に、既に述べたように「テロ組織」ＰＫＫとの内戦で多くの無実のクルド人が巻き添えになったにもかかわらず、その十分な補償がなされていないのも厳然たる事実です。「テロ組織」ＰＫＫのエルドアン批判は客観的には間違っていますが、かつてのケマリストのクルド人弾圧の被害者の主観的な怨恨は十分理解できます。しかしこの問題は私は専門外なので指摘するにとどめこれ以上は論じません。

PKKのプロパガンダに騙される日本のメディア

エルドアンとAKPの政策には、イスラーム学的により深刻な問題点があります。イスラームは人種、民族による差別はカテゴリカリーに拒否します。しかし宗教による差別は否定しません。トルコ人の宗教は99%以上がイスラームです。私自身の「イスラーム」理解は第一便で述べた通りで、一般の「ムスリム」とは全く違いますが、トルコ人の99%がイスラーム教徒、といった場合の「イスラーム」は、飯山さんが使っているような普通の用法です。イスラーム教徒であっても敬虔な人間もいればそうでない人間もおり、世俗主義者もいる点では、トルコ人もクルド人も変わりはありません。むしろ、「田舎」に住むクルド人の方が、伝統的、保守的、という意味でより「敬虔」です。しかし問題はアレヴィー派です。「アレヴィーとは何か」「アレヴィーはイスラームか」との問いは、神学的には難問ですが、宗教施設も、儀礼も、祭日も違い、通婚もしないので宗教社会学的には別の宗教と考える方が自然ですし、実際に法的にも社会的にもイスラームとは別の宗教として扱われています。

エルドアンとAKPの支持母体がナクシュバンディー教団であることは既に述べましたが、実はナクシュバンディー教団は数あるスーフィー教団の中でもイスラーム法の厳格な実践とスンナ派正統主義を特徴とする教団でもあります。つまりエルドアン、AKPのナクシュバンディー教団的イスラームによるクルド人の同胞視政策はイスラームの「異端」アレヴィーのクルド人には及びません。つまりアレヴィーのクルド人は、二重の差別を蒙っているのです。そしてアレヴィーはトルコ人の間にもいますが、ナクシュバンディー教団員も一般的にクルド人の方がトルコ人よりも宗教的であったようにアレヴィーもクルド人の方がトルコ人よりも宗教的です。そのため、クルディスタンではアレヴィーをスンナ派に「改宗」させ包摂しようとのＡＫＰの政策は成功せず、むしろ新たな軋轢を生んでいます。

またソ連の崩壊により後ろ盾を失ったＰＫＫも、敬虔なクルドの民衆を味方につけるため、無神論のイデオロギーを軟化させ、国家に奉仕する制度化されたスンナ派イスラームに対して「アレヴィーは正義の宗教である民衆のイスラームであり、それはクルド文化に深く根差している」というレトリックを使うようになります。

ＡＫＰが宗教庁によってクルドとの和解を試みている間に、政治的にも２０１３年３月に停戦が宣言され、和平交渉がなされました。しかし２０１５年７月にＰＫＫによる警官２名の暗殺に対してトルコ政府がＰＫＫの拠点を攻撃したためＰＫＫは休戦を破棄し和解交渉は破綻しました。実はこの間に２０１５年６月の総選挙でＡＫＰが得票率を減らし２５８議席しか取れず過半数を割りました。かわって党勢を伸ばしたのがクルド系のＨＤＰとトルコ民族主義「極右」政党ＭＨＰで共に80議席を獲得しましたが、ＨＤＰはクルド人だけでなく反ＡＫＰの世俗派、リベラル派を糾合して大幅に議席を増やしました。クルド政党ＨＤＰがＡＫＰと対立したため、議会で過半数を割りクルドとの和平のフリーハンドを失ったエルドアン、ＡＫＰは反クルドのＭＨＰと連立を組まざるをえなくなり、「テロ組織」ＰＫＫとの和解の試みは最終的に挫折することになったのです。

こうした状況下で、シリア内戦に乗じ「テロ組織」ＰＫＫのフロント組織ＹＰＧがＩＳ（イスラーム国）との戦いを口実にアメリカの支援を得てシリアのトルコ国境地帯を支配することになったのです。エルドアンとトルコ政府はアメリカに対して「テロ組織」ＹＰＧの支援を中止するよう再三にわたって要請しましたがアメリカは聞く耳を待たずそれを無視し続けました。

ようやく２０１９年になってトランプ米大統領はＩＳへの勝利によるシリアからの撤兵を口にし、10月６日にエルドアン大統領との電話で２０１４年以来支援してきたＹＰＧへの攻撃許可を伝え、米軍は翌日シリアからの撤兵を開始しました。これが10月９日にトルコ軍がシリアに進攻した「平和の泉」作戦の背景だったというわけです。

書簡B

偏向するメディアのもとで

飯山陽

日本のマスメディアのニュースは偏向している、とよく言われます。

しかしこれは、日本に限った話ではありません。世界中のあらゆるメディアのニュースが、日本に負けず劣らず偏向しています。ニュースには必ず制作者がおり、彼らがニュースにすべき事案を選択し彼らの視点で編集している以上、ニュースは彼らの主観や意図から決して逃れることはできません。これはニュースの宿命です。

今回中田先生が選ばれたのはイギリスＢＢＣの記事ですが、ＢＢＣは左派的偏向で知られています。ＢＢＣは10月に、世界の人々に感動や影響を与えた「２０１９年の女性１００人」を発表し、日本人女性としては#KuToo運動を始めた石川優実氏と立命館大学相撲部の今日和《こんひより》氏を選出しました。他には16歳の環境活動家グレタ・トゥンベリ氏も選ばれています。どのような女性が「ＢＢＣ好み」であるかは、１００人の顔ぶれを見ればはっきりとわかります。

同記事のタイトルには、「トルコがシリアに進攻」とあります。私はこれを目にした瞬間に、「進攻」という語に違和感を覚えました。なぜなら私個人はこの問題について論じるとき、進攻ではなく「侵攻」という語を用いていたからです。進攻は進軍して敵を攻めるという意味ですが、侵攻には他国の領土に攻め込み侵すという意味があります。トルコはシリアという他国に攻め込んでいるわけですから、この場合「侵攻」という語を用いるのが適切だと私は考えます。にもかかわらずＢＢＣが侵攻ではなく「進攻」を用いるのは、トルコに「配慮」しているからでしょう。

英米日に共通する左派メディアの偏向

この問題についてのＢＢＣ報道の特徴は、トランプ大統領によるシリアからの米軍撤退を批判し、シリアのクルド人武装勢力ＹＰＧをトランプ政権に見捨てられた被害者と位置づける一方、トルコを批判していると見られないよう配慮する、といった点にあります。なぜ被害者たるＹＰＧを攻撃するトルコを糾弾しないのかというと、おそらくトルコのエルドアン大統領が、「トルコを批判するならヨーロッパにシリア難民３６０万人を送り込む」と脅迫まがいの宣言をしたためだろうと推測されます。難民を「道具」扱いするこの発言には、個人的に憤りを覚えます。

ＣＮＮのようなアメリカの左派メディアは、トランプ氏を批判しＹＰＧを被害者と位置づけるところまではＢＢＣと同様ですが、トルコも基本的には批判し、「エルドアン氏がトランプ氏からの書簡をゴミ箱に捨てた」といった「トランプ叩きに使える」ネタだけは好意的に取り上げる点が特徴です。アメリカはシリア難民を「送り込まれる」心配がないため、躊躇なくトルコを批判できるのです。アメリカの左派メディアは事実の報道よりも「トランプ叩き」に重点を置き、それに「使える」ネタを選択的に強調して報じるという傾向も認められます。

日本の国際ニュースは多くの場合、こうした英語の左派メディアのみを翻訳あるいは引用することで成り立っているため、極めて強い偏向が認められます。

メディア・リテラシーの重要性が指摘され始めてから既に20年が経過しましたが、国際ニュースに関しては今でも「ニュース制作者の意図について視聴者が自分の頭で判断し読み解く」というプロセスが省かれたまま、情報を無批判的に鵜呑みにする状況が続いているように思います。国際ニュースに対するメディア・リテラシーは、グローバル化が進む現代においては今後ますます重要になるでしょう。

自国の政策に忠実な中東メディア

他方、中東メディアにはまた異質の偏向があります。

サウジアラビアやアラブ首長国連邦、エジプトのメディアはトルコを敵視しているため、今回の件についても「トルコのシリア侵攻は国際法違反であり戦争行為だ」と強く非難しました。しかしこれら諸国は、シリアの領土的統一は守られアサド政権が支配すべきだと基本的に考えているため、トランプ氏の米軍撤退という判断は好意的に評価し、独立を画策していたＹＰＧに対しては冷ややかでした。これはアサド政権の立場とほぼ同じです。

一方トルコとカタールのメディア（アルジャジーラが有名）は、ＹＰＧはテロ組織でありシリア北東部におけるＹＰＧの存在はトルコにとっての脅威であるため、ＹＰＧに対する越境攻撃はあくまでも「テロとの戦い」なのだから国際法上も認められる、と主張しました。またトルコは数百万人のシリア難民を受け入れているのだから、彼らを住まわせる場所をシリア北東部に確保するためにも、ＹＰＧを同エリアから一掃しなければならないとも主張しました。

こうした主張は、トルコが今回の侵攻を「平和の泉」作戦と呼んでいることからも理解されます。しかしトルコにとっての「平和」を実現させるための軍事攻撃も、それによって死傷したり、故郷を追われ避難せざるをえなくなったりしたクルド人にとっては災禍でしかありません。こうした被害者の実態からは、「トルコが敵視しているのはＹＰＧでありクルド人ではない」という主張は、正当性に欠ける方便にすぎないと言わざるをえません。

西洋メディアが左派に偏っているのとは対照的に、中東メディアは自国の政策に極めて忠実な、自国の利益に資する報道をするのが特徴です。私はここで、西洋には報道の自由があり中東には報道の自由がない、という議論をしたいのではありません。メディアにこうした偏向がある以上、その情報にも自ずと偏向がある、という点を指摘したいだけです。

中東問題専門家にも偏り

メディアだけではなく、中東問題について語る「専門家」の偏向についても指摘する必要があります。中田先生は第一書簡で、「トルコ研究者はトルコ大好き」と書かれていましたが、トルコ大好きな日本人トルコ研究者が、トルコ・メディアの報道に則りシリア「進攻」を日本人向けに「解説」することの妥当性について、私には大いに疑問があります。

日本人の多くは日本人トルコ研究者に対し、「トルコ事情に詳しく、事実に立脚し問題を客観的に解説してくれる権威者」たることを期待するでしょう。研究者個人がトルコ好きだからといって、トルコを好きでも嫌いもなく単に国際情勢を知りたいと思っているだけの日本人に対し、トルコの利益を代弁するような解説を流布させる妥当性が、私には全く理解できません。いずれにせよトルコは素晴らしい国であり日本人はトルコを支持すべきなのだ、と世論を誘導することによって得られる利益とは、研究者個人の自己満足以外に何があるのでしょうか。

中田先生はまた、「アラブ研究者はアラブが嫌い（か大嫌い）」とも書かれていました。昔の先生方はよく、「シリア留学組はシリアが大好きだがエジプト留学組はエジプトが大嫌いだ」とも語っていました。実際、日本人シリア研究者はアサド政権を極度に擁護する傾向にあり、日本人エジプト研究者はシシ政権を独裁だと非難します。彼らの脳内では自分の好みに応じたストーリーが既に出来上がっているので、「解説」をする際にもそのストーリーを構成するに相応しい「証拠」をどこからか見つけてくればいいだけなのです。にもかかわらずそれは、学術的権威を付与され信頼すべき客観性をもつ「解説」として公開されます。私には、これは解説を偽装したプロパガンダに見えます。

例えば私は2011年から2015年までエジプトで暮らしていたため、ムバラク政権を打倒したいわゆる「アラブの春」と、その後のムスリム同胞団統治時代と、それを打倒した「第二革命」と、その後のシシ政権時代のそれぞれの状況と違いを体験しました。エジプト人の多くが同胞団政権打倒を自分たち民衆が成し遂げた「革命」だと誇っているのを知っているため、日本でエジプト嫌いのエジプト研究者とマスメディアが口を揃えてそれを「軍事クーデター」だと今でも批判しつづけていることに、抵抗感を覚えます。

カイロだけでも毎日数件爆弾テロや銃撃が発生するという極度に治安が悪化した時代でもあったため、政権が軍と警察を動員し強力な統治機能を発揮したからこそ、私自身があの時代のエジプトを生きぬくことができたと実感しているのも、その抵抗感の源となっています。言論の自由や報道の自由、集会の自由といった様々な「自由」は、近代の誇る守るべき価値であることには私も同意します。しかしそうした「自由」よりも、一般市民の命と生活を守るため、治安維持が最優先されるべき場面というのは、間違いなくあります。安全な場所から「自由」の重要性を声高に主張し「独裁」を非難する第三者は、市民を守るためにテロリストと戦ってなどくれません。

「民主主義は電車のようなもの」か？

私も中東情勢について語る研究者です。中田先生は第二書簡でご自身について、報道よりも「拙著の方が『客観的』、『中立的』」と書かれていました。しかし私は、私自身も特定の偏向をもって発言、執筆をしているという自覚があります。

ただし私の場合は、アラブやイスラム教が好きとか嫌いとか、そういった感情に駆動されているわけではありません。私は日本という国民国家に生まれ育った仏教徒であり、政教分離原則を支持し、西洋近代的な自由を重んじています。ですから、自分自身が慣れ親しんだ日本という国とその文化に加え、世俗主義、民主主義、国民国家、政教分離、自由といった体制や価値、制度を脅かし破壊へと誘導するような動き、勢力は危険だと考えます。だから私は、トルコの動きを警戒するのです。

なぜならエルドアン氏は、民主主義の制度を利用してカリフ制を再興しイスラム法による統治を実現させるという「政治的イスラム」を標榜していることで知られているからです。彼はかつて、「民主主義は電車のようなもの。目的地に着いたら降りればいい」と発言しました。彼にとって民主主義は目的ではなく、世界のイスラム化を実現させるための手段にすぎません。

カリフ制下のイスラム法による統治は、民主主義体制とは全く異なります。それは神中心の政教一致体制であり、神の命令とイスラム的価値が絶対正義とされ、ムスリムだけが社会のフルメンバーシップを持つと認められます。異教徒はムスリムではない、というその理由だけで差別されます。差別されたくなければイスラム教に改宗すればいい、改宗する自由は与えられているのだから差別されるのは改宗しないあなたのせいだ、というのがイスラム教の論理です。

到底受け入れられない理想

中田先生は第二書簡で、カリフ制の基本は「ヒューマニティーと法の支配」であり「イスラム国」の理想も「ヒューマニティーと法の支配」であると記されました。しかし私はイスラム法の古典文献と「イスラム国」の資料、実態を客観的に分析した異教徒として、中田先生が理想とする「ヒューマニティーと法の支配」は、ムスリムではない一般の日本人が認識するそれとは言葉が同じでも意味内容は全く異なる、と申し上げるしかありません。少なくとも私には、到底受け入れられない理想です。

現在、中東諸国のほとんどは国民の多くがムスリムであり、社会的にもイスラム教的規範が息づいていますが、イスラム法ではなく世俗法によって統治されています。ゆえにサウジアラビアやエジプトは、「政治的イスラム」を掲げカリフ制再興を目指すムスリム同胞団をテロ組織指定し、同胞団を公然と支持するトルコとは対立関係にあります。「政治的イスラム」の拡大を危惧するという点において、私はこれらアラブ諸国と同調しますが、それは私が「アラブ好きでトルコ嫌い」だからではありません。私が自由と民主主義を尊重する世俗主義者であり、「政治的イスラム」とカリフ制は日本という国家やその文化・伝統を間違いなく破壊するという現実的な危惧を抱いているからです。

ですから、日本という国家やその文化・伝統を憎み、そうした「軛」は破壊しなければならないと考える人や、「政治的イスラム」、カリフ制再興推進者は、私の主張がきっとお気に召さないことでしょう。

しかし2019年5月にNHKが公開した第10回「日本人の意識」調査で、調査対象者の97%が「日本に生まれてよかった」と回答していることに見られるよう、体制破壊やカリフ制を支持する人々はおそらく、日本では少数派だと推定されます。ですがこうした少数派のお気に召すメディアや専門家が圧倒的多数を占めているのが、日本の現状です。

トルコのシリア「侵攻」は結局、ロシアが仲介をし、トルコの要求通りシリア北東部に安全地帯を設けそこからYPGを排除するが、その支配権はあくまでもアサド政権に属す旨で関係諸国が合意することにより、一応の解決をみました。ＹＰＧを排除したいトルコと、ＹＰＧにお灸をすえたいシリアの利害が一致したからです。ＹＰＧを被害者と位置づける西洋の報道やそれを翻訳した日本の報道だけを見ている人にとっては、何が何だかわからない解決だったことでしょう。中東は、西洋の論理とは異なる論理で動いているのです。

テロの原因は「コーラン」の悪用にある

私は中東イスラム研究を専門としているので中東に限定して語りますが、日本のメディアの中東ニュースは非常に偏っています。また日本の「専門家」や文化人が広めているのは、自分の好みや、今ある制度や秩序を全て破壊しなければならないという左派的イデオロギーに立脚したプロパガンダです。

映画監督の想田和弘氏は２０１９年10月28日、「イスラム国」の指導者バグダーディー死亡を受けて、「テロを減らすために有効な手段は、テロを行いたい、テロに訴えるしかない、と思わせるような社会の構図や状況をなくしていくことしかないのではないか。テロリストとして生まれる人間は、この世にいない。彼らは何らかの理由でテロリストになる。その理由をどうにかしなければ、テロはなくならない」とツイートしました。

しかし第二書簡で論じたように、「イスラム国」の行動原理は神の法たるイスラム法であり、イスラム法の第一法源は啓典『コーラン』です。「イスラム国」のようなイスラム過激派のテロの原因がこの『コーラン』の「悪用」にあるということは、アズハルという世界的に名高いイスラム学の研究・教育機関の長であるアフマド・タイイブ師が、公の場で既に何度も認めています。またそれを「改革」していかねばならないというアズハルの考えに、中東諸国の首脳陣も一様に賛同しています。この件については、拙著『イスラム２・０――ＳＮＳが変えた１４００年の宗教観』（河出新書、２０１９年）で詳述しました。

中東の当事者たちの間で、イスラム過激派の問題の源は『コーラン』の「悪用」にあると合意が成立しているにもかかわらず、第三者がイスラム過激派テロリストについて、「いやいや、あなた方は本当は社会のせいでテロリストになったのだ」と「解説」するのは荒唐無稽かつ奇妙であり、こうした発言は「すべては社会が悪いのだ」と体制を破壊する方向へと世論を誘導する手段にはなっても、イスラム過激派の実態を理解し現実的対策をとる上では何の役にも立ちません。

またフォトジャーナリストの安田菜津紀氏は２０１９年11月3日にＴＢＳのサンデーモーニングに出演し、「『イスラム国』っていうのは、人々の不満だったり怒りだったり、それがあるところで力を拡大してきました」「イラクで米軍が中途半端なかたちで撤退をして、その力の空白に『イスラム国』が入り込んできた」「アメリカが今すべきは自分たちの功績を自画自賛するんではなくって、もうテロに訴えるしかないと思わせるような社会状況を本来であればなくしていくってていうこと」、と語りました。

しかし既述のように、「イスラム国」の目標はあくまでイスラムによる世界征服であり、反米左派イデオロギーなどというものを完全に超越したところにあるので、それを反米左派イデオロギーに矮小化することは、問題のすり替えにして「イスラム国」テロの被害者たちの「悪用」であり、一般視聴者のイスラム過激派に対する認識を誤らせるだけではなく、判断の誤りから人命や国益の損失にも繋がりかねません。そして繰り返しますが、イスラム過激派テロの原因は『コーラン』の「悪用」にある、という点でイスラム教の指導者や中東の政治当局者たちは合意しています。社会でも、反米イデオロギーでもありません。

正確な報道、客観的な分析を

日本に住む在留外国人は2018年末現在で273万人に達し、観光などで短期滞在した外国人は同年1年間に3100万人にのぼりました。在留外国人が増加すると、外国の問題が日本に持ち込まれるケースも増加します。今回のトルコのシリア侵攻に際しては、トルコ系移民を多く擁するドイツやカナダなどでトルコ人とクルド人が衝突し、多数の負傷者を出しました。日本でも2015年に、渋谷のトルコ大使館前でトルコ人とクルド人が乱闘騒ぎを起こした事例があります。

いま日本で求められているのは、世界中で発生している事実についての正確な報道と、その事実の網羅的な調査および客観的な分析だと私は考えます。偏向報道や解説を偽装したプロパガンダにより、日本という国家やその文化・伝統を破壊する方向へと日本人を誘導する作戦は、国益に反しているだけでなく、スマートフォンの普及により誰もがジャーナリストになりえ、SNSの普及により情報が限りなく多元化した今の時代には、すでに通用しなくなってきています。

第四書簡

タイのイスラーム事情

書簡Ａ

知られざるタイのテロリスク

飯山陽

「微笑みの国」のテロ事件

タイは日本人にとって、人気の旅行先のひとつです。

２０１８年にタイを訪れた日本人は、過去最高の１６０万人を超えたと発表されました。「微笑みの国」という枕詞がつけられることが多いように、人々は常ににこやかで温和、外国人をあたたかくもてなすホスピタリティーに溢れ、食事も美味しく、おしゃれでかわいいものや店が豊富で、常夏のビーチを一年中楽しめ、マッサージも安い……。そんな「最高のイメージ」を抱いている人も少なくないでしょう。

実は私は、数年前からタイの首都バンコクに住んでいます。タイに住む私にとっても、タイは非常にいい国であり、既述のイメージを否定するつもりはありません。しかしこうしたイメージだけがタイの全てではない、ということは申し上げておきたいと思います。

イギリス外務省はタイに旅行に行く人向けの渡航情報として、「テロリストはタイで攻撃を実行する可能性が非常に高い」と明記しています。日本人の多くはタイにテロ攻撃のイメージはないかもしれませんが、それはただ知らないだけなのです。

イギリス外務省は、外国人が頻繁に訪れる観光地を含め、爆弾や手榴弾による攻撃は無差別的に発生するので、タイに旅行に行く際には、特に公共の場においては細心の注意を払い、タイ当局の指示に従い、地元メディアの報道を注視するよう、勧告しています。

日本の外務省もタイの渡航情報として、「首都バンコクやリゾート地等においても爆発事件や銃撃事件が発生しています。（中略）不測の事態に巻き込まれることのないよう以下の点に注意してください」とし、「不特定多数の人が集まる場所（中略）を訪れる際には、周囲への警戒を怠らない」等とウェブサイト上に記しています。

しかし去年タイを訪れた１６０万人の日本人のうち、外務省のウェブサイトでタイの情報をチェックした人がどのくらいいるでしょう。

世界的なテロ増加傾向を受けて、外務省の出す海外安全情報は、ここ数年で格段に増加しました。サイトを見れば、その国で近年発生したテロやデモなどの情報が、かなり詳しくわかるようになっています。しかしサイトを充実させるだけで終わってしまっては、国民に注意喚起し危険回避に寄与するという目的を達成したことにはなりません。

ここ数年のタイを振り返ると、直近では２０１９年８月、ＡＳＥＡＮ外相会議開催中にバンコクの数カ所で爆弾テロが発生、３月にはサトゥーン県とパッタルン県で、２０１８年12月にはソンクラーのサミラ・ビーチで、２０１７年３月から４月にかけてバンコク各地で、２０１６年８月にはプーケット、ホアヒン、クラビなどを含む主要な観光地で複数の爆弾テロが発生しました。

２０１５年２月にはバンコク中心部の著名なショッピングモール、サイアム・パラゴン前で爆弾テロが発生、４月にはリゾートとして知られるサムイ島で自動車爆弾テロが発生、８月にはバンコクの主要観光地のひとつエラワン祠で大規模な爆弾テロが発生し外国人を含む20人が死亡、１００人以上が負傷しました。容疑者として拘束されたのは、複数の外国人イスラム教徒でした。

タイは素晴らしい国ではあるが、しばしばテロ事件が発生しており危険もある、という実態を広く発信していくことは、非常に重要です。これは、「危険だからタイには行くな！」という極論とは全く異なります。せっかくの楽しい旅行を悲劇で終わらせないためには、危険情報をあらかじめ知っておくことが、いざという時にパニックに陥らず適切な行動をとるため、死なずに生き延びるためには必要不可欠です。

テロ活動が活発化する東南アジア

これはタイに限った話ではありません。日本人に人気のリゾートが多くあるフィリピンやインドネシア、マレーシアにも治安上の様々なリスクがあり、場所によってはそのリスクは非常に大きくなっています。

「イスラム国」がシリアとイラクでの領土を失った後、急速にネットワークを拡大させている地域のひとつが東南アジアです。オーストラリアを拠点とするシンクタンク、経済平和研究所（ＩＥＰ）が公開した２０１８年グローバル・テロリズム・インデックスは、近年テロ活動が特に活発化している地域のひとつとして東南アジアをあげています。

ＡＳＥＡＮ（東南アジア諸国連合）に加盟する10カ国の総人口は約6億人ですが、うち半数がムスリムです。そこにイスラム過激派が浸透しつつあり、各国が協力してその抑止に努めているのが現状です。２０１９年11月にバンコクで開催されたＡＳＥＡＮ閣僚会議で、マレーシアのムヒディン内相は、初代指導者バグダーディーの死は「イスラム国」の新たな章の幕開けであり、彼らは作戦拠点を東南アジアに移すだろうと警告しています。

私たちが東南アジア諸国に対して抱いているイメージは、時代の変化と共に実態に即したものへと修正していく必要があります。20年前、30年前の脳内イメージのまま東南アジアを固定的に捉えることは、得策ではありません。

タイには、日本を含む多くの国が渡航自粛や禁止を勧告している地域があります。マレーシア国境にあるいわゆる深南部三県（ナラティワート県、ヤラー県、パッタニー県）です。ヤラー県では２０１９年11月上旬、イスラム武装勢力が自警団の検問所を襲撃し15人が死亡するという事件が発生しました。

タイ南部ヤラ（Ｙａｌａ）県で5日夜、民間防衛ボランティアが詰めていた検問所2か所をイスラム武装勢力とみられる集団が襲撃して発砲し、少なくとも15人が死亡、４人が負傷した。軍報道官が６日、明らかにした。タイ南部の武力襲撃としては、過去数年で最悪の犠牲者を出す事件となった。[*4]

（ＡＦＰ　２０１９年11月６日）

深南部にはマレー系のイスラム教徒が多く住み、タイからの分離独立を目指すイスラム武装勢力のテロにより、２００４年以降これまでに７０００人以上が死亡しています。今回の攻撃による被害規模は、ここ数年では最大です。

カリフ制は一種の革命思想

彼らはイスラム武装勢力ではあっても目標はあくまで独立であり、国際的なイスラム過激派ネットワークとの繋がりを示す証拠は見つかっていない、というのがタイ政府の公式見解です。

一方で、彼らの攻撃は、彼らがイスラム教の教義にも強く駆動されていることを示唆しています。既出の攻撃で犠牲となった自警団メンバーのほとんどは仏教徒でした。

イスラム教の教義において、仏教徒はイスラム教信仰を受け入れない不信仰者とされます。中田先生も第三便で、「イスラームは人種、民族による差別はカテゴリカリーに拒否します。しかし宗教による差別は否定しません」とはっきり記しているように、イスラム教は異教徒差別を至極当然と規定します。

『コーラン』は不信仰者について、「あなたがた（イスラム教徒）の公然たる敵」（第4章101節）と定めています。他にも不信仰者は、「悪を行う」（第2章12節）、「罪人」（第77章46節）、「愚か者」（第2章13節）、「心の中に病気がある」（第2章10節）などと『コーラン』のなかで描写され、不信仰者は「現世で屈辱を、来世でひどい懲罰を受ける」（第5章41節）とあります。

このようにイスラム教は、全ての人間は信仰の如何に関わらず平等である、という近代リベラリズムや世俗主義の一大原則を、正面から否定します。正しいのはイスラム教だけだからです。

加えて『コーラン』第9章29節には、「神も終末の日も信じない者たちと戦え。神と使徒が

＊4　https://www.afpbb.com/articles/-/3253327

禁じたことを禁じることなく、啓典を授けられていながら真理の宗教を信じない者たちと、彼らが屈服し人頭税（ジズヤ）を手ずから差し出すようになるまで戦え」とあります。

日本でイスラム教の「専門家」が礼讃してきた「イスラーム的共存」なるものの実態は、異教徒にとってはイスラム教徒による絶対支配下に屈服し、命をつなぐために人頭税を支払い、わずかでも抗議すれば命を奪われる、「差別と屈辱の固定化された共存」であることは、強調しておく必要があります。

第二書簡で中田先生は「カリフ制を支持している」と記しているように、著作活動やツイッターなどを通し、「カリフ制こそが理想」だと日々発信してらっしゃいます。私は、イスラム教の教義やイスラム的共存の実態を知らない一般の日本人が、イスラム独裁体制たる「カリフ制」を面白おかしく持ち上げたり、いたずらに理想視する傾向を懸念しています。

カリフ制は神を唯一の主権者とし神の法たるイスラム法を施行する政教一致の体制であり、近代的な自由、平等、平和、民主主権といった理念を完全否定します。近代国家を漸進的に改革しても、決してカリフ制には至りません。カリフ制支持とはすなわち、現体制を根こそぎ破壊することを目指す、一種の革命思想です。確かに今の日本には大きな問題が多数ありますが、その全てを破壊しカリフ制を再興すれば全てうまくいくなどという主張には、何の根拠も論理性もありません。

中田先生自身も2019年12月5日に「不信仰者であるだけでは殺害は許可されず、カリフの宣教が届いて、入信と納税を拒否した場合」とツイートしています。カリフ制再興を支持するとはすなわち、イスラム教への入信と納税を拒否した不信仰者の殺害が許可される体制を支持することに他なりません。

メディアの報道と実態にずれ

異教徒は不信仰者、すなわち殺すべき敵であるという考えは、『コーラン』の字義直解を旨とするイスラム過激派に通底しています。ナイジェリアではボコハラムが毎日のようにキリスト教徒を襲撃し、イスラム教への改宗を拒むキリスト教徒を惨殺していますが、左派メディアは世界的にイスラム教徒によって迫害されるキリスト教徒の実態についてはほとんど報じません。タイで多くの仏教徒がイスラム教徒によって惨殺されているという事実も、世界的にはほとんど知られていません。

ミャンマーのロヒンギャ、イラクのヤズィーディーなど、宗教を理由とする差別や迫害は、世界中で発生しています。しかしアメリカの政府機関である国際宗教自由委員会（ＵＳＣＩＲＦ）が２０１９年４月に公開した年次報告書では、世界で最も迫害されている宗教はキリスト教であり、キリスト教徒の迫害を行っているのはほとんどがイスラム教徒であるとされています。メディアの報道と実態には、大きなずれがあるのです。

タイ深南部では２０１９年１月、ナラティワート県にある仏教寺院がイスラム武装勢力に襲撃され、僧侶2人が殺害されました。異教の宗教指導者や宗教施設を攻撃するのも、世界中のイスラム過激派に共通する傾向です。

同じ頃、パッタニー県では学校が襲撃され警備員4人が殺害されました。イスラム教とは異なる近代的価値観を子供に教える普通教育は、世界的にイスラム過激派によって敵視されています。ノーベル平和賞の最年少受賞者として知られるマララ氏を銃撃したパキスタン・タリバン運動も、普通教育を行う学校をたびたび襲撃しています。

深南部では、ディスコやバーもしばしば攻撃対象となっています。イスラム過激派は酒や音楽、ダンス、男女の混じり合いも、イスラム教の教義に反するとみなします。タイのイスラム武装勢力も、イスラム的価値、イスラム的正義があまねく行き渡っていなければならない、神の命令に反するものは排除しなければならない、というイデオロギーを、世界中のイスラム過激派と共有しているように見えます。

2019年10月に公開されたアメリカ国務省のテロ年次報告書は、タイの特徴として、旅行者数が極めて多く、偽造パスポートや偽造文書の市場があり、銀行の監視も弱く、国境警備も緩いといった点を挙げ、国際テロ・ネットワークにハブとして利用されやすい脆弱性を多分に有している、と指摘しています。

実態がつかめない武装勢力

２０１９年2月には深南部の全寮制イスラム学校で、カンボジア人イスラム教徒11人が拘束されました。治安当局筋は、同校では夜間に戦闘訓練が行われていたと明かしています。深南部では過去に、イスラム武装勢力パッタニー・マレー民族革命戦線（ＢＲＮ）の訓練キャンプを実施していたとして、イスラム学校が閉鎖されたこともあります。

深南部はタイに併合される前のパッタニー王国の時代から、東南アジアにおけるイスラム学の拠点のひとつとして知られており、現在も東南アジア各国から多くのイスラム教徒学生が集ってきています。治安当局筋はＢＲＮが外国人学生もリクルートしていると語っており、ＢＲＮがグローバル・ジハード・ネットワークに入るのではなく、ＢＲＮ自体がグローバル化しつつある実態もうかがえます。

２０１８年4月にはマレーシア治安当局筋が、テロ掃討作戦で取り逃した37歳のタイ人について、「イスラム国」に忠誠を誓っておりシリアとも関係を持っている、タイ深南部に「イスラム国」拠点を構築することを目指していると語りました。タイ当局はこれについて正式なコメントは出さず、軍の大佐がインタビューで「たぶん『イスラム国』メンバーではない」と述べるにとどまっています。

タイ政府は深南部のイスラム武装勢力との和平締結にむけた努力を続けており、マレーシアがその仲介役に名乗り出ています。しかしイスラム武装勢力は細分化されており、各組織の実態は不明瞭で、分離独立や自治獲得など目標も様々なため、当局はいったい誰と何を交渉すればいいのかもよくわからないのが実情だ、と伝えられています。

またフィリピンで分離独立を求めてきたモロ・イスラム解放戦線（ＭＩＬＦ）からバンサモロ・イスラム自由戦士（ＢＩＦＦ）が分離し「イスラム国」入りした例や、アフガニスタンでアメリカと交渉を開始したタリバンを見限った戦闘員が次々と離反して「イスラム国」に合流した例からも、深南部の現状が油断ならないものであることは明らかです。

近年、深南部にはタイ軍兵士６万人が動員され、あちこちに有刺鉄線が張り巡らされ、装甲車が配備されるようになり、ニューヨークタイムズ紙はこれを「占領地のようだ」と非難しています。しかしこれは、ここに戦闘員や武器が自由に往来する国境を超えた「過激派の天国」が構築されてはならないという、タイ政府の決意の証でもあります。

対立や分断の要因に

イスラム教の関わる問題は、武装勢力だけではありません。イスラム教徒の厳格で柔軟性に欠ける行動が社会を分断させ、タイの国家としての調和や統一性を脅かす可能性が指摘されているのです。

２０１８年の国勢調査によると、タイの人口にしめるイスラム教徒の割合は５・４％で、その数は約３７０万人です。93・5％を占める仏教徒に次ぎ、イスラム教徒はタイにおける第二の宗教勢力です。

タイでは通年、様々な祭りが開催されますが、なかでも大規模なもののひとつにロイクラトンがあります。川や水場に灯籠を流し水の女神に感謝の祈りを捧げるヒンドゥー教を起源とする祭りなのですが、イスラム教徒はこれには概ね参加しません。

タイのイスラム団体のひとつシェイフルイスラム事務所のウィスット氏は、「我々は山や川を司る神々などというものは信じない。全てを創造した唯一の神アッラーがいるだけだ」と述べています。また灯籠を流すことで前世の業を追い払うことができるという考え方についても、「我々の罪を赦してくださるのはアッラーだけ」として、反イスラム的であるとしています。

毎年ロイクラトンが近づくと、タイのイスラム教徒たちはＳＮＳ上で、「我々イスラム教徒はロイクラトンに行かない」とか、「イスラム教にロイクラトンの伝統はない」といったメッセージをさかんにシェアします。

一方キリスト教指導者は、「ロイクラトンは文化でありキリスト教徒もそれを楽しむのは自由」とか、「ロイクラトンに行く人を非難して他人の気分を台無しにする必要などない」といった、柔軟な見解を示しています。

タイでは世俗的リベラル派から仏教強硬派まで、タイのイスラム教徒が「純粋な信仰」にこだわるあまりタイに同化することを拒んでおり、それが対立や社会の分断を招いていると指摘する人が少なくありません。

深南部のマレー系イスラム教徒の中には、タイ当局がタイの法律やタイ語による教育を彼らに「強制」していると反発し、イスラム法の適用や、マレー語をアラビア文字で表記するジャウィ語による教育を要求する動きもあります。

２０１８年7月には、深南部の11歳のイスラム教徒の少女が41歳のマレーシア人と結婚し第三夫人になった事実が大きく報道されたように、イスラム教の教義で認められている児童婚も広く行われています。

タイが私たちのような外国人にとっても居心地がいいのは、歴史的過程を経て様々な宗教や文化が混ざり合い溶け合うようにして成立してきた国だからこその包容力や、寛容さ、おおらかさに満ちているからでしょう。しかしそこには、その価値には同化せず、あくまでもイスラム的価値を堅持しなければならないと信じている人たちがおり、その事実は多文化共生社会の根幹を揺さぶっています。

多数派が限りなく寛容でありさえすれば多文化共生社会は問題なく成立するに違いない、という思い込みは、幻にすぎないのです。

書簡Ｂ

タイ深南部のムスリム独立運動

中田考

序

今回は、飯山さんからのリクエストでタイの話をします。きっかけは以下のＡＦＰの記事です。

タイ南部ヤラ（Ｙａｌａ）県で５日夜、民間防衛ボランティアが詰めていた検問所２か所をイスラム武装勢力とみられる集団が襲撃して発砲し、少なくとも15人が死亡、４人が負傷した。軍報道官が６日、明らかにした。タイ南部の武力襲撃としては、過去数年で最悪の犠牲者を出す事件となった。

軍報道官は、「12人が現場で死亡し、さらに2人が搬送先の病院で死亡した。今朝になって別の1人が死亡した」と述べ、襲撃グループが検問所にあったいずれも複数のM16ライフルとショットガンを奪ったことも明らかにした。

マレー（Malay）系イスラム教徒が暮らすタイ南部では、タイからの独立を目指す勢力が中央政府と武力闘争を続けており、過去15年間で民間人を中心に7000人以上が死亡している。

（AFP　2019年11月6日）


本題に入る前に、記事の背景となる事実関係を簡単に説明しておきましょう。「過去15年間で7000人以上が死亡」とありますが、15年前の2004年とは、1月の陸軍基地襲撃事件と同時多発爆弾事件を皮切りに、その実行犯の弁護にあたったソムチャイ弁護士の拉致事件（警察によって暗殺されたと疑われている）、4月に11か所の警察署を襲撃してクルセ・モスクに立てこもったメンバー32人全員が国軍によって射殺された事件、10月にナラーティワート県のタクバイ郡で起きたデモに参加して身柄を拘束された住民78人がトラック移送中に窒息死する、という一連の事件が起きた年です。タイ深南部「テロ問題」についてより詳しく知りたい方は、堀場明子「タイ深南部紛争と平和構築イニシアティブ」[*5]、竹原かろな「タイ最南部地域の紛争」[*6]をお読みください。

タイのイスラーム

最初にタイのイスラームについて概観しましょう。東南アジアの常としてタイもまた多民族・多宗教社会です。タイのムスリムにも何世紀も前にタイに移住した中東系ムスリム移民の子孫で何世代もタイに住みすっかりタイに同化している者もいれば、マレー系、中国系（回族）、南アジア系、東南アジア系など様々です。ムスリム人口はタイの総人口の約4％、約400万人ですが、その約半分200万人がマレー系で深南部に集中的に住んでいます。

今回の事件の舞台となったヤラは敬虔なアラブ人、特に湾岸産油国のアラブ人の間で有名です。ヤラにはヤラ・イスラーム大学という立派なイスラーム大学が存在し、この大学はカタルを中心にクウェート、サウジアラビア、UAEなど湾岸産油国の篤志家の財政支援によって出来上がった大学で、私も昔、湾岸アラブ人から日本人ムスリムを留学させるように勧められたこともあります。特にサウジアラビアのワッハーブ派の影響について興味がある方は、西直美「国家統合におけるイスラーム教育の役割：タイ深南部を事例として」[*7]をお読みくだ

＊5　https://ci.nii.ac.jp/naid/130007687271/
＊6　https://ci.nii.ac.jp/naid/110008798742/
＊7　https://ci.nii.ac.jp/naid/500001051822/

さい。

ちなみに、私がタイ深南部について一般の日本人よりいくらか詳しいのは、25年来のつきあいの古い日本人ムスリムの友人がこのヤラ・イスラーム大学の学長の紹介でタイ深南部のマレー系ムスリムと結婚しており、いつも話を聞かされているからです。この夫婦は「タイ人」と「日本人」ですが、アラブの某国でアラビア語で会話して暮らしており、タイ深南部の奥さんの実家での日常生活を日本語のブログで発信してくれています。

なぜ、ヤラにイスラーム大学があるのかと言うと、ヤラ県は同じくタイ深南部のパタニ県、ナラーティワート県（及びソンクラー県の一部）と並んで元パタニ王国の旧領だからです。パタニ王国は最初はヒンズー／仏教王国でしたが、13世紀半ば頃からイスラーム化したと考えられており、最古のマレー系王国と言われています。マラッカ王国（１４０２－１５１１年）がポルトガルによって滅ぼされると、パタニ王国はマラッカに代わってマレー系ムスリム商人の貿易ネットワークの中心になり、著名なイスラーム学者を輩出し、東南アジアのイスラーム学の中心地になります。パタニ王国は、タイのスコタイ朝、アユタヤ朝の属国でしたが、アユタヤ朝がビルマに滅ぼされると独立します。しかしビルマから独立したタイのチャクリー朝に再び征服され、パタニ王国は小藩国に分割、属国化され、１９０２年に最後の王アブドルカーディル・カマルッディーン・シャーが廃位されると滅ぼされ、アブドルカーディル王はマレーシアのクランタンに追放されます。

パタニの廃王がクランタンに追放されたのには理由があります。というのは、クランタンは歴史的にパタニ王国の一部でありクランタンはパタニ王国が小藩国（スルタン国）に分割された時の一藩国だったからです。クランタンは１９０９年のイギリスとタイの条約で、現在のマレーシアのクダ、トレンガヌ、プルリスと共にイギリスに割譲されます。この４州は特にマレー人の比率が高く「マレー・ベルト」と呼ばれており、現在でもマレーシアの中で他の地域と違う独自の文化を有しています。

つまりパタニ王国は現在のタイ王国とマレーシア連邦の国境を越えてタイ深南部のパタニ県、ナラーティワート県、ヤラ県、マレーシアのクランタン州、クダ州、トレンガヌ州、プルリス州に跨って存在していたのであり、マレー人ムスリムの歴史的アイデンティティーのコアでもあります。アブドルカーディル王とその息子マフムード・ムフイッディーンはパタニの独立、王国再興運動を率いますが、１９５４年にマフムードが死ぬと運動は衰退します。

実は、タイは極右民族主義者として知られたピブーンソンクラーム首相（１９６４年没）の下で第二次世界大戦で日本と同盟して枢軸国側に参加します。クランタン、クダ、トレンガヌ、プルリスの４州は英領マラヤを占領した日本の東条英機首相によって１９４３年７月にタイへの割譲が約束され、同年10月にタイに編入されます。この４州がタイからイギリスに返還されるのは日本の敗戦後１９４５年９月です。

日本のイスラーム化は妄想、あるいは夢想の類でしかありませんが、日本によってインドネシアを含むマレー・イスラーム世界が軍事的に占領され植民地化され、神道の天皇崇拝を強制されたのは、古老たちの記憶に残るリアルな「事実」です。私たちは、東条内閣の閣僚としてA級戦犯の被疑者になり公職追放になった岸信介の孫で、彼を尊敬すると公言し、靖国神社に参拝し、戦争放棄と戦力不保持を定める憲法九条の改正を目指すと公言する人物が首相を務める国の国民であることの意味をよく考えてみる必要があるでしょう。精神分析では、自分自身に認めたくない欲求や感情を無意識に他者へと転嫁して自己正当化することを「投影」と言います。イスラームが過度に侵略的で危険だと見える者は、自分自身の姿を相手に投影しているのではないか、とまず自分自身を疑ってみるとよいでしょう。個人であれ集団であれ、自己の実像を直視するのは誰にも難しいものですが。

マレー・イスラーム世界

話をマレー・イスラームの話に戻しましょう。マレーシアは憲法第160条でマレー人を（1）イスラームを信仰し、（2）マレー語を話し、（3）マレーの慣習を守る者、と定義し、マレー人をイスラーム教徒と法的に規定している世界でも稀な国です。イスラームは個人と神とのパーソナルな契約関係ですから、特定の民族をイスラーム教徒と法で定める、などということはイスラームの教えにはありません。もちろん、預言者ムハンマドのアラブ人ですらイスラーム教徒だけではなく、キリスト教徒もユダヤ教徒もいます。いや、民族の宗教を法的に定義するような奇妙な国はムスリム諸国だけでなく、世界広しと言えども、マレーシアしかないでしょう。

しかし、その「マレー・イスラーム意識」の高い国であるマレーシアの中でもかつてのパタニ王国の「継承国」の一つでもあったクランタンは特にイスラームの強い州として知られています。

実は、私がクランタンのこの特殊性を知ったのは、１９９７年から１９９８年にかけて日本学術振興会カイロ研究連絡センター所長としてエジプトに滞在していた時でした。私の先生の一人でシャーズィリーヤ・スーフィー教団の導師ユースフ・バッフール先生の弟子たちの殆どがクランタン州からのアズハル大学留学生だったからです。アズハル大学はスンナ派世界最大のウラマー（イスラーム学者）養成機関ですが、当時マレーシアからの留学生は約１万人でその中でも一番多かったのがクランタン州出身者でした。その縁で、私は何度もクランタンに行くことになりましたがクランタンの留学生たちは、皆、当時のクランタン州首相でＰＡＳ（汎マレー・イスラーム党）最高指導者ニゥ・アブドルアズィーズ（２０１５年没）の弟子でもありました。同師はクランタン州首相であると同時に、イスラーム学者として、イスラーム寄宿学校を運営していました。ＰＡＳはスンナ派ですが、「ウラマーの指導」を党綱領にかかげイスラーム国家樹立を目指す政党で州政権を握るクランタン州はその牙城でした。ＰＡＳと同師について詳しくは拙稿「マレーシア・ＰＡＳ（汎マレー・イスラーム党）とウラマーの指導」『山口大学哲学研究』９巻９－17頁をご覧ください。ＰＡＳはこういうイスラーム寄宿学校の先生たちが党の幹部を務め、生徒たちがコアな支持者である政党であり、旧パタニ王国のマレーシア側の「マレー・ベルト」クランタン、クダ、トレンガヌ、プルリスの４州では、このようなイスラーム学者がイスラーム法に基づき人々を指導し国を治めることを理想とするイスラーム政党が一定の支持を集めていました。

前述のヤラのイスラーム大学の件も、こういう文脈で理解しなければなりません。つまり、パタニ王国の伝統と理念を引き継ぐマレー・イスラーム世界の動きであると同時に、アラブ世界との繋がりも有しているということです。

話をタイ深南部に戻すと、このニゥ・アブドルアズィーズ師もパタニ王国の王族の末裔と言われていましたが、それよりも重要なのはクランタンとタイ深南部の人的・文化的繋がりの深さです。最初にクランタンに行って驚いたことは、クランタンではテレビでマレーシアの放送だけでなくタイのテレビが普通に観られていたことです。

タイ・マレーシア国境

幸い、現代のマレーシアのマレー・ベルトとタイ深南部の文化的共通性と交流については、高村加珠恵氏によるいきいきした報告があります。少し長いですが、引用しましょう。

タイ・マレーシアの国境東部の境界線であるゴロック川沿いには「違法に国境を渡った場合、最高1万リンギットの罰金、もしくは5年間の刑に処する」とマレー語、英語、タイ語の三言語で表記された大きな赤い立て看板が置かれている。しかしながら午後の下校時刻ともなれば、学校帰りのカバンを背負った小学生たちがその看板の横を通りすぎ、川沿いで待ち構える6人乗りほどの小さなサンパンボートに乗り込む。彼らはマレーシア側のバンダクチルの小学校からタイ側のゴロックの自宅へ帰宅するのである。粗末な木製の船着場から細長いボートに乗り込むと数分で向こう岸に到着する。ゴロック側の船着場では、フルーツなどの入ったビニール袋をいくつも抱えたムスリム女性たちが乗り込む。彼女たちは、ゴロックで仕入れたフルーツをバンダクチル側の市場で売るのだ。このような光景は、国境の川沿いでごく日常的に繰り返されており、こうしたサンパンボートの粗末な船着場は、国境の川沿いにはほぼ100メーター毎に設置されている。（…中略…）このように朝の国境の橋や川には、南タイからの市場帰りのバンダクチルの住民、バンダクチルの商店に働きにでかけるゴロックの住民、バンダクチルの学校へ通学するゴロックの子供たちというういつもの日常的越境者たちの姿があり、そこにはあたかも国境という領域境界は存在しない。（高村加珠恵「インフォーマルな越境が日常化する空間のメカニズム：タイ・マレーシア国境東部からの考察[*8]」）

日本人には、「隣国」韓国、中国、ロシア、フィリピンの小学生が毎日違法に国境を越えて日本の学校に通ってくる光景はなかなか想像できないでしょう。しかし、タイとマレーシアの国境ではありふれた日常です。それはどちらも歴史的にパタニ王国のマレー・イスラーム文化を共有しているからです。マレーシアとの国境に近いこのタイ深南部の人口は約200万人であり、75〜80％がマレー語を母語とするイスラーム教徒と言われています。

もちろん、文化の共有はグラデーションですので、ここまで極端なケースは国境の町に限られます。タイ深南部でさえ国境から遠ざかるほど差異はゆるやかに大きくなっていき、バンコクに行けばマレー語を解する者は殆どいなくなります。

タイとパタニ王国

パタニ王国も仏教国であるタイの属国でしたが、中心であるタイの王権が弱まると、独立性が高まりました。アユタヤ朝がビルマに滅ぼされた時に独立したのはその例です。逆に王権が強くなると、従属性が高まります。チャクリー朝の下でパタニ王国が分割、弱体化させられたのがその例です。

前近代においても、パタニ王国には内紛もあり、スコタイ王国、アユタヤ王国との戦いもありました。パタニ王国は基本的にアジアの強国タイの属国でした。タイが東南アジアで唯一欧米列強による植民地化を免れた軍事政治的強国であったことを忘れてはいけません。「微笑みの国」などと呼ばれ温和な仏教国のイメージが売り物ですが、タイが仏教国で平和的だ、などというのは歴史的に全くのナンセンスで、パタニ王国のようなムスリムの隣国を侵略しているだけでなく、同じ上座部仏教のビルマとも普通に戦争をしています。現在においてもタイも、ビルマ（ミャンマー）と同じように、軍が政治の実権を握る極めて「暴力的」な国家です。

政治の大きな話をしなくとも、格闘技ファンなら立ち技最強と言われるムエタイ、最も過激な格闘技と言われるラウェイに熱狂する上座部仏教徒が「平和的」でなどありえないことは誰でも知っています。もっとも、ムエタイもラウェイも神事であって暴力ではない、と言えなくもありませんが。それならジハードも神事であって暴力ではない、と言わなくてはならなくなります。

タイ深南部の現実

領域国民国家システムが世界を覆いつくした現在、全ての独立運動はナショナリズムの形を取ります。ここで重要なのは二点です。一つは、第一次世界大戦、第二次世界大戦をはじめ、全ての戦争の主要因は、領域国民国家の思想的基盤である民族主義に基づくものであり、

＊8　https://ci.nii.ac.jp/naid/120000992945/

他の要因は経済的利害であれ、資本主義や社会主義などのイデオロギーであれ宗教であれ、副次的なものにすぎない、ということです。実際にこれまで何千万人もの人間の命を奪い、今も多くの人間の命を危険に晒している危険な思想は、民族主義です。特に国境紛争、独立運動などは、例外なく、西欧起源の領域国民国家イデオロギーと、地域の歴史・社会・文化的現実の矛盾を原因とするものです。フランス帰りのファシストで2期首相を務め「永年宰相」の異名をとったピブーンソンクラーム元帥が強行しようとしたタイ民族の領域国民国家創出と、高村加珠恵氏の描くパタニ・マレー系ムスリムの生活の「現実」の矛盾が引き起こしたタイ深南部の紛争も、その典型例の一つと言うことが出来るでしょう。

第二に重要なのは、タイが宗教の庇護者とされ仏教徒で軍の統帥権を有する神聖不可侵な王が治め、しばしば軍事クーデターが起きる強権的な権威主義国家、そして腐敗国家（国際NGOトランスペアレンシー・インターナショナルの腐敗認識指数（CPI）の2018年版で調査対象180カ国中フィリピン、コロンビアなどと並ぶ99位）だということです。フォーブスによるとタイの故ラーマ9世（2016年没）は神聖不可侵とされながらも清貧とは程遠く個人資産推定300億ドルで、資産200億ドルのブルネイのボルキア国王、資産180億ドルのサウジアラビア故アブドゥッラー国王を凌ぐ世界で最も豊かな国王でした。豊かな産油国ブルネイ、サウジアラビアと違い1人当たり名目GDP（国連統計）6595ドル（2017年）で211ヵ国中101位の貧しい国にもかかわらずです。この巨大な貧富の格差の最底辺に位置するのが、タイ深南部のマレー系ムスリムであることも忘れてはいけません。また「アジア平和構築イニシアティブ」が、タイ深南部の紛争を利用して治安部隊が予算を増加させ、麻薬・人身売買などの違法ビジネスの利権の温床にしてきたことが治安回復の障害となっている、と結論していることも、このタイの政治の構造的腐敗の文脈で理解しなければなりません。

タイ深南部紛争を理解するために

15年間で7000人の犠牲者を出しているタイ南部紛争は多くの民族紛争を抱える東南アジアにおいても激しいものです。それ以上の規模となるともう本格的な内戦になり、フィリピンのミンダナオ島のムスリム（モロ）独立運動ぐらいしかありません。インドネシアから独立する前の東ティモール紛争もそうでした。最初に書いたように、タイにはさまざまなムスリムが住んでいますが、大規模な紛争はパタニ王国の旧領の深南部のマレー系ムスリムの間でしか起きていません。つまり、クルアーンに「彼ら（不信仰者たち）は見つけ次第殺せ」（クルアーン4章89節）と書かれているから、ムスリムが仏教徒を襲っている、というような説明では、タイでは深南部以外でマレー系以外のムスリムが仏教徒を襲っていないことが説明できないということです。この問題を理解するには、宗教対立に還元するのではなく、タイ歴代王朝とパタニ王国の歴史、20世紀以降のタイの政治、経済、社会状況を知る方が重要です。

　それには、同じように仏教徒がマジョリティーで多民族、多宗教な社会構成でムスリムが数パーセントを占める東南アジアのミャンマー（ビルマ）、カンボジアとの比較が有益です。ミャンマーもカンボジアも歴史的にはタイと似た仏教国でしたが、それぞれイギリスとフランスの植民地になります。独立後、両国ともに、冷戦下で共産主義・社会主義の影響を受けたため、マジョリティーは仏教徒であっても、政治には仏教は反映されず、むしろ宗教一般に敵対的な政策がとられました。特にカンボジアの１９７０年から１９７９年まで続いたクメール・ルージュの支配は極端に反宗教的で、仏教と共にイスラームも殆どの宗教指導者が粛清され、宗教施設（モスク）は破壊され、25万人のムスリムのうち10万人が殺害されました。カンボジアのムスリムはマレー人と近いチャム人で人口の４％を占め集住していますが、迫害されたからといって、タイ深南部のような独立闘争は起きていません。迫害が激し過ぎる場合には、独立闘争すらできないのです。スターリン時代の中央アジアのムスリム諸民族などもそうした例です。

　１００万人の人口のうち60万人から80万人が難民化し、世界最悪の難民問題と言われるミャンマーのロヒンギャ問題のロヒンギャ人も同じです。ミャンマーは多民族国家であり、カレン族のように長年にわたって独立闘争を続けている民族も存在しますが、ロヒンギャは一方的に迫害、虐殺、追放されてきただけであり、実体のある独立運動は存在しませんでした。武装グループが（アラカン・ロヒンギャ救世軍：ＡＲＳＡ）が組織され暴動を起こしたのはやっと２０１２年ですが、このグループにしても刃物と即席の爆発物しかなく武器といえる装備はもっていない、と言われています。現在ミャンマーでは、政府による弾圧だけではなく、ウィラトゥ、パーマイカなどの僧侶が指導する反イスラーム的言説、社会的迫害が急速に広まりつつありますが、ロヒンギャ問題の本質は政治、経済、民族対立であり、宗教対立ではなく、またパタニ独立運動のような独立武装闘争にも転化していません。

第五書簡

中村哲氏殺害事件をめぐって

書簡A

破綻国家アフガニスタンと中村医師の殺害

中田考

序

２０１９年12月４日アフガニスタンの東部ナンガルハル州のジャラーラーバードにおいてペシャワール会の中村哲代表が、同乗していたアフガン人の運転手や護衛と共に銃撃され死亡し、日本政府は旭日小綬章を追贈しました。今回は、このニュースに因んで主としてターリバーンとの和平の動きに焦点をしぼって破綻国家アフガニスタンについて論じてみましょう。

ペシャワール会と平和主義

中村哲先生はハンセン病を専門とする内科医で、1980年代からアフガニスタンで医療支援に関わってきました。しかしアフガン人の命を救うには医療支援以前に飲料水と灌漑用水が必要と考え、アフガン人の伝統と宗教を尊重し、日本とアフガニスタンの伝統の土木技術を活かした灌漑事業を行い、アフガニスタンでも広くその活動を知られ、2018年4月にはアシュラフ・ガニー大統領からガジ・ミール・マスジッド・カーン勲章を授与されていました。

中村医師は、生前、憲法九条があり日本が海外でこれまで一度も武力行使をしてこなかったこと、アフガニスタンに日本が戦闘部隊を派遣していないことが、ペシャワール会が現地で活動する上での最善の安全保障だ、と言っていました。そのため、日本での事件に対する論調は、アフガニスタンの現状とは無関係に、憲法九条の護持か改正、自衛隊の海外派遣への賛否の持論の「ダシに使われている」としか言いようのないものばかりです。そういう議論がアフガニスタンの理解に役に立たないことは言うまでもありませんが、なによりも武装と非武装のどちらが安全か、などといった粗雑な抽象論は、ミクロなレベルでもマクロなレベルでもどうとでも言えて実際には何も言ったことにならないのが問題です。

先にミクロな話からすると、「非武装こそ一番の安全保障」は中村医師の持論であり信念でしたが、現実には彼は護衛と共にいたところを殺害されており、武装して殺されることで自ら自己の持論の正しさを実証したとも言えます。しかし武装していなければ安全だったかというとそうも言えません。というのも、ペシャワール会が襲われたのは中村医師が初めてではなく、2008年にメンバー伊藤和也氏がターリバーンに拉致、殺害されており、この事件をきっかけにペシャワール会は日本人は中村代表を除きアフガニスタンから撤退しており、中村医師が信念を曲げても護衛を付けざるをえなくなったのは、この事件後、日本政府、アフガニスタン政府から有形無形の圧力があったからだと推測する合理的な理由があります。アフガニスタンに行ったことのない読者の皆様には分からないと思いますが。

武装と安全

私も2010年3月、2011年4月、2011年11月−2012年1月まで、2013年1月と4回アフガニスタンを訪れました。首都カブールだけでなく、ターリバーンの強いジャラーラーバードやカンダハルにも行き、政府機関からバザール、モスク、難民キャンプまでいろいろな場所を訪れました。もちろん銃など携行していませんし護衛をつけたことなど一度もありませんでした。私はパシュトゥーン語はまったくできず、ダリー語（ペルシャ語アフガニスタン方言）も片言しかしゃべれないのでたいていはアフガニスタン人の知人と一緒に行動しました。たまに一人で出歩くこともありましたが、特に襲われたりもしませんでした。といっても、統一イスラーム党の事務所に居候していた時には事務所にはカラシニコフを持った護衛が何人も常駐していましたので、非武装だから安全だったとも、武装した護衛がいるから安全だとも言えません。私のアフガニスタンでの行動の詳細を知りたい人はTwilogで@HASSANKONAKATAのその時期の過去ログを検索してみてください。一緒にアフガニスタンに行ったムスリムのジャーナリストのシャーミル常岡氏は非武装でしたが政府側の民兵組織に誘拐されました。しかし5ヵ月後に解放されて帰国しました。事件については『常岡さん、人質になる。』（エンターブレイン、２０１１年）という本になっています。常岡氏も非武装だったから誘拐された、とも言えますが、武装していて抵抗していれば殺害されていた可能性が高いので、非武装だったから生きていられた、と言えなくもありません。

要するに武装していようと武装していまいと、殆どの場合には殺されませんし、殺されるのは稀ではあっても、武装していてもいなくても殺される時は殺されます。例が少なくそれぞれの個別の事情が違いすぎますので、一般化してどちらがより危険、とさえも言えません。要はケースバイケースとしか言いようがないということです。中村氏の場合、未だに「犯行声明」は出ておらず、ターリバーンは否定しています。イスラーム国関係者が殺害したなら必ず「戦果」を発表するはずですので、真相は闇の中です。私がペシャワール会の関係者から個人的に聞いたところでは、ペシャワール会の現地での渉外担当者の話では利権がらみで地元のヤクザに殺されたのだろう、ということでした。これから政府がイスラーム武装勢力の犯行だと発表してもその信憑性は薄いと私は思います。常岡さんのケースでも実は誘拐犯はアフガニスタン政府側の民兵でしたが、政府はそれを最後までターリバーンだと言っていましたので。

マクロな話も同じことで、ターリバーンの報道官が明言している通り、アフガニスタンに軍隊を送っていない国の民間人でも殺害される可能性があります。もちろん、世界最強の米軍も2001年のアフガニスタン侵攻以来2000人以上が殺されていますので、武装すれば安全などということはありません。ちなみに米軍の犠牲者数はブラックウォーター社のような民間軍事会社の武装集団の犠牲者を含んでいません。

アフガニスタン内戦

ペシャワール会の灌漑事業は大きな成果をあげており、中村医師がガジ・ミール・マスジッド・カーン勲章、旭日小綬章を受賞したのも無理もありません。しかし、アフガニスタンの国政の中では彼の殺害は些末事に過ぎません。

アフガニスタンは日本の外務省が全土に退避勧告を出しているので読者の中でも知っている人は少ないと思います。アフガニスタンは人口3000万人、一人当たりGDPは500ドルほどの中規模の貧しい国ですが、国際的には極めて重要です。歴史的背景は複雑なので後ほど説明します。まず、なぜアフガニスタンに退避勧告が出ているのかというと、アフガニスタンがFund for Peaceのリストによると世界でワースト9の破綻国家だからです。最近ではfragile state（脆弱国家）と言うそうですが、「破綻国家」と呼ぶ方がアフガニスタンのろくでもなさがよく伝わると思うので「破綻国家」でよいでしょう。まぁ、「国家」など支配者たちが愚民を隷属させるために架空に映し出した幻影ですので、「破綻国家」であることは、かならずしも悪いことではありません。『謎の独立国家ソマリランド』（高野秀行、本の雑誌社、2013年）を読むとそれがよく分かりますが、話を元に戻しましょう。

アフガニスタンが破綻国家になった直接の原因は、1979年のソ連のアフガニスタン侵攻以来の内戦を収め2000年には国土の90％を実効支配していたアフガニスタン・イスラーム首長国（ターリバーン政権）を2001年にアメリカが崩壊させ、腐敗、不正と内紛、相互殺戮で人心を失っていた北部連合に傀儡政権を作らせたことです。その後、20年が経ちますが、政府の腐敗も治安も一向に改善されないどころかむしろ悪化の傾向を示しています。

ベルリンに本部を置くトランスペアレンシー・インターナショナル（国際透明性機構）の2017年のインデクスによるとアフガニスタンは調査対象国180カ国国中腐敗度177位の腐りきった国です。また国連アフガニスタン支援団（UNAMA）によると、2019年7～9月には市民1174人が死亡、3139人が負傷しており、死傷者4313人は四半期の記録として過去10年で最悪になります。国連（UN）もアフガニスタンでは過去10年間に戦闘による民間人の死傷者が10万人以上になると報告し紛争の終結を求めています。

ターリバーンとアフガニスタン和平

実は2017年に米大統領に就任したトランプは前任者たちのアフガニスタン政策の失敗を認め2018年7月にターリバーン（アフガニスタン・イスラーム首長国）との直接和平交渉を国防省に指示し、2019年1月にはアメリカは完全撤退でターリバーンと合意に至った、と報じられました。とは言え、トランプがアフガニスタンからの撤兵を決めても、アフガニスタンに累計1兆ドルにも達した利権を有する軍産複合体が強硬に反対しているため紆余曲折があり、順調には進んでいません。9月5日にカブールで起きた米兵を含む12名が死亡したターリバーンによる自爆攻撃のために、9月7日トランプ米大統領は、キャンプデービッドで開催を予定されていたアフガニスタンのターリバーンとの極秘会談をキャンセルし、1年に及ぶ「和平交渉」の突然の中止を発表しました。しかしその3日後の9月10日にはトランプはこの会談に強硬に反対していたボルトン安全保障担当大統領補佐官を解任しました。ターリバンとの交渉の障害であったボルトンがいなくなったことでトランプが交渉を再開するのではないか、との憶測が飛び交う中、9月12日にはカタールのターリバーン報道官はトランプに和平協議の再開を呼び掛けました。その後、12月29日にAPなどがターリバーンが全土で一時的な停戦に応じると報じましたが、31日にターリバーンは停戦報道を否定しました。これが本稿執筆時点でのアフガニスタンの状況です。

ターリバーンとアメリカの戦いの原因はアメリカがアフガニスタンに侵攻しタリバン政権を瓦解させたからであり、アメリカの侵攻の原因は2001年の9・11アメリカ同時多発攻撃を計画したビン・ラーディンが率いるアルカーイダがターリバーン政権の庇護下にあったからです。しかしそもそもビン・ラーディンがアメリカを攻撃したのは、1990年のイラクによるクウェート侵攻を口実にアメリカが多国籍軍を組織しイスラームの聖地であるアラビア半島に軍を送り1991年にイスラームの同胞の国イラクを武力で蹂躙したからです。アフガニスタンの例では過去30年のこれぐらいの経緯が中期のレイヤーです。

この間1993年にアメリカの国際政治学者サミュエル・ハンチントンが『フォーリン・アフェアーズ』に発表した「文明の衝突」は、長期的スパンを有する文明的要因の国際政治における重要性を指摘し、冷戦終了後の世界では、西欧文明とイスラーム文明と中国文明の衝突がこれからの世界の不安定要因であると予言したものでした。

国際政治における長期的なレイヤーにはこの文明的要因と地政学的要因があります。アフガニスタンにターリバーン政権が誕生したのは、1979年にアフガニスタンに侵攻したソ連軍をジハード（武装闘争）によって撤退させたムジャーヒディーン同士の内戦を収拾させたためでした。そしてビン・ラーディンはムジャーヒディーンたちの対ソ連ジハードに義勇兵として参加していたのであり、アルカーイダの母体はその時の彼の同志たちであり、彼らは現在では敵となったアメリカのCIAによって資金と武器の援助を受けていました。なぜなら当時はアメリカとソ連は東西冷戦によって対立していたからであり、アメリカはソ連との戦いにビン・ラーディンたちを利用したのであり、結果的にアフガニスタン侵攻の失敗によりソ連は崩壊への道を辿ることになったのです。

ソ連のアフガニスタン侵攻に対するＣＩＡのムジャーヒディーンへの資金、武器援助は当時の文脈から冷戦の枠組で解釈されるのが常です。しかしこの戦いは、19世紀から20世紀にかけての英露両国によるアフガニスタン争奪戦争「グレート・ゲーム」の延長ともみなされます。「グレート・ゲーム」とは地政学上、大陸国家（ランド・パワー）ロシアと海洋国家（シー・パワー）イギリスとの抗争と分析されるものです。「東欧を支配するものがハートランドを支配し、ハートランドを支配するものがワールドアイランドを支配し、ワールドアイランドを支配するものが世界を支配する」と述べたのはイギリスの地政学者ハルフォード・マッキンダーでした。19－20世紀において「ハートランド」とは、なによりもコーカサス、中央アジアであり、その支配をめぐって、ロシアとイギリスがアフガニスタンを主戦場の舞台として「グレート・ゲーム」を繰り広げていたのです。ですからロシア帝国の継承国家である大陸国家ソ連とイギリスの地位に取って代わった海洋国家アメリカによるアフガニスタンをめぐる戦いは「新グレート・ゲーム」とも呼ばれています。

ターリバーンの復活

アメリカ軍は18年にわたって１兆ドルも蕩尽しながらターリバーンを軍事的に打倒できませんでした。それどころかむしろターリバーンは勢力を伸ばしており２０１８年には一時的にファラフ州とガズニ州の州都を占拠しています。

実はターリバーン自体には勢力を伸長する要因はありません。むしろ弱体化してもおかしくないのです。というのは指導者アミール・アルムゥミニーン（信徒の長）ムッラー・ウマルが２０１３年４月に死亡し、そのことを隠蔽していたことが２０１５年７月に暴露され、指導部の支配の正当性が揺らぎ、後継者となったアフタル・ムハンマド・マンスールも２０１６年に米軍の爆撃で死亡しているからです。それだけではありません。２０１５年には一部が離反しイスラーム国（ＩＳＩＳ）に合流しました（ホラサーン州）。また２０１６年９月にはアフガニスタン・イスラーム共和国成立以来、共和国政府と外国駐留軍との武装闘争を続けていたイスラーム党（Hizb-I Islami ヒクマチヤル派）が政府と和解したため、アフガニスタン政府軍の内戦の負担は軽減しているはずです。

にもかかわらずターリバーンの勢力が伸びているのは、ＩＳＡＦ（国際治安支援部隊、多国籍軍）が２０１４年末に解散し、治安権限をアフガニスタン政府に委譲したせいであると考えざるを得ません。そして本来であればＩＳＡＦの解体と同時に「外国軍」は全て撤退すべきであり、そうすればアフガニスタン・イスラーム共和国は既に崩壊し、ターリバーン政権が復活していた可能性が高いと私は思っています。そうなっていないのは米軍がアフガニスタンに居残っているからです。ピークだった10万人よりは大幅に減っていますが、現在も約1万4000人の米軍が残っています。北部同盟の故アフマド・シャー・マスード（2001年没）元国防相の息子の政治家アフマド・マスードも「アフガニスタン政府にはタリバンとの戦闘を続ける能力がない」と述べ、米軍が撤退すれば腐敗し統率力のないアフガニスタンの治安部隊は崩壊すると警告しています。

2008年6月12日パリでアフガニスタン復興支援国会議が開かれました。当時のカルザイ大統領は、拡大する貧困とターリバーンに対抗するためとして5年間で500億ドル（約5兆4000億円）の支援が必要である、と訴えました。日本は5億5000万ドル（約590億円）の支援を表明しましたが、支援国は援助が本当に必要な人々に届くかについて懸念を表明し、カルザイに対し汚職撤廃と法の順守の強化を求めました。しかし実際にはアフガニスタンへの支援は政府の腐敗と汚職の温床となったに過ぎませんでした。その結果が、今日のターリバーンの復活です。

アフガニスタンで目にした腐敗の実態

私がアフガニスタンに行ったのは、本来のアフガニスタンの正当政権であるターリバーン政権（アフガニスタン・イスラーム首長国）がカルザイ政権を平和的に承認する形でアフガニスタンに和平を実現する糸口を見つけるためでした。

アフガニスタン訪問の目的は和平の仲介でしたが、実際にアフガニスタンで一個人の私にできたのは教育、医療、人道援助だけでした。日本のムスリムの同胞からの募金でアフガニスタンでテント、薬品、毛布などを買って必要な人の許に届けるのです。国連のような援助ビジネスとは違い、私自身は寄付することはあっても、そこからは必要経費も含めて1円も受け取らず、アフガニスタンへの渡航費もアフガニスタンでの生活費も全て自弁でした。

人道援助の詳細は上記のTwilogを見てもらえば分かりますが、難民キャンプを訪問して分かったことは、国連のロゴの入ったテントでも、実はそのテントは国連職員が横流ししたものを買ったもので、実際には国連の援助は入っていないこともある、といった驚くべき実態でした。私自身、テントを買うためにバザールに行き、国連から横流しされた品が格安で売られているのを自分の目で確認し、安かったのでそれを買って困窮者に届けました。私がそうした市井でのミクロなレベルの腐敗を自分の目で見て知っていることが分かると、現地で世話になった統一イスラーム党のメンバーたちが国際機関と政府の腐敗の実体を教えてくれました。そして彼らが口々に言うのは、我々アフガニスタン政府は確かに腐敗しているが本当に腐敗しているのはアメリカでありアフガン人の政治家はそのおこぼれを少しもらっているだけだ、ということでした。

私がカブールを訪れた時期は、日本だけでも5年間で約590億円、莫大な支援金がアフガニスタンに流れ込んでいた時期でしたが、私が居候していた首都カブールの政権与党の政党本部でさえ、一日の殆どが停電、断水しており、ガスはそもそも来ていませんでした。アフガニスタンには工業は殆どなく、農産物も周辺国も農業が豊かなため、殆ど外貨獲得の手段がありません。しかし前の道さえ舗装されていなくても、政治家たちはお城のような豪邸に住んでいました。外国からの支援金が必要なところにまわっておらず、金持ちたちがISAF（米軍）や外国の支援団体から甘い汁を吸って私腹を肥やしていることは、誰の目にも明らかでした。

反ターリバーン・プロパガンダとターリバーンの実像

既に述べたようにカルザイはターリバーンと戦うため、との口実で、支援国からの援助を引き出しました。支援金のピンハネや支援物資の横流しはアフガニスタンに限らずよくある手口ですが、実はアフガニスタン独自の方法があります。女子教育支援の援助金を横領し女子高を建設するとの名目で建材を買ったことにし領収書を偽造し実際には二束三文で張りぼての建物を作っておいて完成間際で放火し、ターリバーンが燃やしたことにするのです。誹謗中傷でターリバーンを悪役に仕立てあげて、その悪役と戦っている、ということで自分たちを正義の味方に見せて「国際社会」から支援を引き出す、というのはターリバーンに限らずムスリム社会によくある手口ですが、「ターリバーンが女子教育を禁じている」などという妄言はその典型です。私はカブール大学学長などカブール大学の教官たちとも会って直接話を聞いて確認しましたが、ターリバーン政権時代も、カブール大学は男子学生と同じく女子学生を教え続けていました。また私はカブールで実際に元アフガニスタン・イスラーム首長国（ターリバーン政権）在パキスタン大使アブドッサラーム・ザイーフ師が理事長を務めるアフガン・ファウンデーションが運営し、元同外相アフマド・ムタワッキル師が校長を務める女子校を見学し女性教師とも話をし、ターリバーンが女子教育を禁じていないことを確認しました。

もちろん、ターリバーンが乏しい予算の中で男性教育への投資を女性教育への投資に優先していることは確かです。しかしそれは女子教育を禁じていることにはなりません。灘育英会が男子校灘中学校・高校しか設立しなかったからといって女子教育を禁じていることにならないのと同じです。また違法行為を行ったり、反社会的行為を教えている女子高を閉鎖してもそれは女子教育を禁じることにはなりません。イスラーム共和国であれ、イスラーム首長国であれ、イスラームに反する教育を行う女子高を閉鎖してもそれは当然であって、女子教育の禁止にはなりません。日本で売春や麻薬売買をしている女子高をつぶしても女子教育の禁止にならないのと同じことです。

ターリバーンとの真の和平に向けて

現在のターリバーンは、昔の田舎の神学生集団ではありません。20年にわたり過酷なジハードの中でイスラーム学の研鑽を積み信仰の理解を深めつつ、世界に対する見聞を広めてきた「話が通じる」相手です。そして今やアフガニスタンは「新グレート・ゲーム」の舞台であり、イスラーム首長国時代から良好な関係にあった中国、パキスタンだけでなく、仇敵、ロシア、イラン、アメリカまでもが、ターリバーンとの和解の道を模索しています。

しかし、ターリバーンを悪役に仕立て上げ、ターリバーンと戦うという名目で私腹を肥やすアメリカのアフガニスタンにおける利権屋たちがターリバーンとの和平を妨げています。アフガニスタン政府（イスラーム共和国）とは対話しない、というのがターリバーンの立場ですが、同志社大学は、民間の一大学でありながら、世界で初めて、アフガニスタンのイスラーム首長国とイスラーム共和国の代表が同席する、という快挙を成し遂げました。金も力もない民間の大学になぜそれができたのか、というと理由は簡単です。それは仲裁の基本である中立、公正の原則を護ったからです。それは先ず第一に同志社大学がアフガニスタンに関するいかなる利権のしがらみもなかったことですが、それだけではありません。より重要だったのは、招聘の時点から公開会議の席上まで、一貫して、ターリバーンをアフガニスタン・イスラーム首長国として遇したことです。ターリバーンはイスラーム首長国こそアフガニスタンの正当政府だと自任し、カルザイ政権をアメリカの傀儡として認めていませんでした。ですから、ターリバーンとカルザイ政権の和平は、政府と武装集団の対話の枠組を設定してはそもそも始まりません。それでは和平交渉ではなく、降伏と恩赦の交渉にしかならないからです。

ターリバーンとの和平は、イスラーム首長国とイスラーム共和国という二つの正当性を争う「国家」の間の和平、という枠組を設定することでしか始まらず、逆にその枠組さえ設定できれば、交渉自体は始めることができることを同志社の会議は世界に示すことが出来ました。また公的なレベルでは国家と国家の代表の立場でしか会わないということは、私人としての立場であれば必ずしも同席を拒否しないということでもあります。会議後ターリバーンとイスラーム首長国の政治局代表スタネクザイは私的に共に集団礼拝をし、礼拝の後では和やかに鍋を囲みました。その時の様子とその意味は会議を主宰した内藤正典先生が『イスラム戦争』（集英社新書、２０１５年）の中で写真入りで論じていますので是非お読みください。

公式な場で筋を通すことも重要ですが、それ以前に私的な関係でパーソナルな信頼関係を築くことも重要です。公式に筋を通すこと、私的に信頼関係を築くことを両輪としてはじめて健全な和平交渉を進めることができます。月並みですが、「原理主義」や「過激派」などのレッテルを貼られステレオタイプで異質な他者であるとの先入見を持たれるアフガニスタンのターリバーンとの和平でも同じことが言えます。特にそのようなラベルが、相手を貶めるスティグマである場合、それと戦うことで自己を正義の側に位置付け利権を引き出そうとする政治闘争の手段として用いられている場合はそうです。そういう場合に既得権を握った側が用いる常套句が「テロリストとは交渉しない」です。そうした敵対関係の当事者である治安当局が「テロリストとは交渉しない」との建前を取るのは、理解できますが、利害関係のない第三者、特に研究者はそのような言説に惑わされずに、まず相手方の論理と言葉遣いと行動の語用論を学ばねばなりません。そして言葉遣いと行動の語用論は参与観察による相互作用によってしか知ることが出来ません。

ターリバーンは、スンナ派イスラーム主義運動の主流であるサラフィー主義と違うイスラーム伝統主義に立脚し、イスラーム学者のジハードによって正統カリフの理想的統治を現代に再現しようとするイスラーム政治思想史上も極めてユニークな運動です。しかし実はターリバーンの思想に関しては日本語は言うに及ばず、欧米語でもその基本文献をイスラーム学的に分析した研究は拙著『ターリバーンの政治思想と組織』（現代政治経済研究社、２０１８年）しか存在しませんので、ターリバーンの思想の基本とその思想史的特徴について知りたい人は同書をお読みください。

書簡Ｂ

中村哲氏銃撃事件とイスラモフォビア

飯山陽

年末に起きた二つのテロ事件

２０１９年末は、イスラム関連の深刻な事件が続き、世界的にも大きく報じられました。11月29日にはイギリスのロンドン橋でパキスタン系イスラム教徒ウスマーン・カーンがナイフによるテロ攻撃を実行し２人が死亡、12月６日にはアメリカのフロリダ州ペンサコーラ基地で、飛行訓練を受けていたサウジアラビア空軍将校ムハンマド・シャムラーニーが銃撃を行い３人が死亡しました。

アフガニスタンで人道支援を行なっていた中村哲氏が銃撃され死亡したのは、12月４日のことです。

アフガニスタンで長年支援活動に携わってきた日本人医師、中村哲さんが4日、東部ナンガルハル州ジャララバードで銃撃され、死亡した。同行していたアフガニスタン人の護衛ら5人も死亡した。

アフガニスタンで人道支援を行う国際NGO「ペシャワール会」の代表で、現地事業体ピース・ジャパン・メディカル・サービスの総院長を務める中村さんは、ジャララバード市内を車で移動中に何者かに銃撃された。当初は負傷と報じられたが、後に当局が死亡したと発表した。[*9]

（AFP　2019年12月4日）

ロンドン橋のテロについては、「イスラム国」が犯行声明を出しました。ペンサコーラ基地で銃撃をしたサウジ人将校シャムラーニーは犯行前に、ツイッターにアメリカを批判する書き込みをし、ウサマ・ビンラディンの言葉を引用していました。中村氏の銃撃犯人は未だ特定されていません。

長きにわたりアフガニスタン復興に貢献してきた中村氏は、アフガニスタン大統領から国家勲章を受け、名誉市民権も授与されていました。氏は多くのアフガニスタン人に愛されてきましたが、彼を憎む人もいたという現実をこの銃撃事件は明示しています。

イスラム教徒に心を寄せ、粉骨砕身尽くしてきた人がイスラム過激派の犠牲になったという点において、ロンドン橋のテロは中村氏銃撃事件と共通しています。カーン容疑者がまず刺殺したのは、彼の社会復帰を支援するためにその場にいたイギリス人でした。

カーン容疑者は２０１２年に、ボリス・ジョンソン氏暗殺とロンドン証券取引所を爆破するテロ計画を立てていたとして実刑判決を受けました。裁判ではアルカイダと関係していたことが明らかとなり、公開された録音では、「兄弟よ、こいつら汚れた不信仰者どもをやっちまう必要がある」などと語っていました。異教徒に対し明らかな殺意を持つジハード主義者であることが認定されＩＰＰ（Imprisonment for Public Protection）、すなわち裁判官がもはや社会にとって危険ではないと判断するまで服役するという判決を受けました。

しかし翌年、まだ若いのにＩＰＰは厳しすぎると控訴し禁錮16年の減刑判決を獲得、そして実際には７年後の２０１８年12月に釈放され、それから約１年後にテロ実行に及びました。

消えなかった異教徒への敵意

カーン容疑者は足に電子タグがつけられ、行動制限も課されていましたが、犯行当日は「共に学ぶ」と題されたケンブリッジ大学主催の元受刑者のための更生プログラムに招待されており、それを理由にその日一日だけロンドン市内に入ることが認められました。当局によっ

＊9　https://www.afpbb.com/articles/-/3258044

て彼は「更生した」と見なされたからです。

しかしカーン容疑者はその機会を利用し、そのセミナーの開催中に、受刑者更生プログラムに協力している専門家らを次々と刺し、2人を死に至らしめました。

殺害された2人はともにイギリス人で、ケンブリッジ大学を卒業し、元受刑者の社会復帰支援事業に取り組んでいた23歳の女性と、25歳の男性でした。

イギリスの司法も、そして社会も、最初の過ちを犯したカーン容疑者に対して非常に寛大でした。彼自身も、刑務所内や出所後に「更生した」と見なされるような振る舞いを意図的にしていた、と周囲の人々は語っています。しかし実際は、彼の中から異教徒への強い嫌悪と敵意は消えず、それは彼を支援しようとしていた異教徒を殺害するという最悪のかたちで表出しました。

事件後イギリスでは、カーン容疑者の早期の釈放は不適切だったのではないかという批判が噴出しました。イギリスでは2012年から2019年までに353人の元テロリストが釈放されており、ロンドンに拠点をおく汎アラブ紙『シャルクルアウサト』は刑期の長さと釈放条件には疑念があると指摘しました。

イスラモフォビアというロジック

同事件の発生を受け、奇妙な反応を示したのがマレーシアです。マレーシア国防相は12月、ロンドンのテロのような事件が発生するたびに世界ではイスラモフォビア（イスラム教やムスリムへの嫌悪や恐怖）が発生する、だから我々イスラム諸国はそのイスラモフォビアと戦っていかなければならない、と述べました。

イスラモフォビアというのは、「ムスリムは被害者だ」と主張するロジックの中で近年特に多用されるようになった言葉です。テロを実行した加害者がムスリムであるにも関わらず、テロ行為やテロ実行者を非難するのではなく、ムスリムやイスラム教を嫌悪したり恐怖したりする「異教徒」を非難するのが特徴です。

このイスラモフォビアを国際法で禁じ、罰則を課すべきだという活動を盛んに行なっているのがマレーシアとトルコ、それにパキスタンです。この三カ国は共同で、世界のイスラモフォビアを監視し、それを報道するためのメディアを立ち上げる計画を立てていると発表しています。

一方イギリス国内で、イスラモフォビアを法制化せよと強く働きかけているのがトルコの強力な支援を受けるムスリム同胞団系組織、英国ムスリム評議会（ＭＣＢ）と左派の労働党です。人口に占めるムスリムの割合が顕著に増加しつつある中、イスラム系ロビーの力は確実に増大しつつあり、イギリスでもイスラモフォビアこそがテロの原因だとする認識が広まりつつあります。

今回テロが発生したロンドン橋では、２０１７年6月にもイスラム過激派によるテロが発生し8人が死亡しました。この時、3人の容疑者と格闘し、何度も刺されつつ応戦したロイ・ラーナー氏というイギリス人男性がいました。ラーナー氏は一般に「ロンドン橋のライオン」と称えられましたが、イギリス当局は彼を「イスラモフォビアの懸念がある」として「監視すべき過激派」のリストに加え、「脱過激思想プログラム」を受けるよう命じました。

イスラム過激派テロリストに寛大な措置がとられる一方、身を挺してイスラム過激派テロリストに立ち向かったイギリス人には「反イスラム的なテロリストの可能性がある」というレッテルが当局によって貼られる。これが今のイギリスです。

今回のテロを受け、イギリス政府は服役囚と既に釈放された元囚人について治安リスクを見直すと発表しました。今回のテロでも複数の市民が容疑者の取り押さえに貢献し、大きく報じられましたが、今のところ、彼らがイスラモフォビアの懸念があるとして当局の監視リストに入れられたという報道はありません。

イギリスが今後テロに毅然と立ち向かうのか、それともイスラモフォビアというロジックに絡め取られひたすらテロリストに寛大であり続けるのか、当局の対応に市民の注目が集まっています。

新たな分断を引き起こすおそれ

他方アメリカでは、ペンサコーラ基地でのテロを受け、米軍で受け入れている外国人訓練生の審査を全面的に見直すよう国防省が指令を出しました。フロリダ州で飛行訓練を受けている300人以上のサウジアラビア人訓練生については訓練を一時停止し、治安上のリスクがないかどうかについての人物審査を再度行うよう命じました。

サウジアラビアはアメリカにとって重要な同盟国です。だからこそ、多くのサウジ人兵士を米軍で受け入れ訓練をしているのです。しかしそのことと、サウジ人が実際に米軍施設内でテロを実行したこととは分けて考えなければなりません。テロのリスクのある個人はいくら同盟国の人間であったとしても受け入れるわけにはいかないというのは、極めて合理的な判断です。これは「イスラモフォビアだ」、などと批判されるような措置では決してありません。

中村氏の祖国である我が日本でも近年、メディアでイスラモフォビアという言葉を見かけるようになりました。2017年7月には東海大学国際教育センター准教授であるアルモーメン・アブドーラ氏が『ニューズウィーク日本版』に、「『共謀罪法』がイスラモフォビアを生まないか」という記事を寄稿しています。

同氏は改正組織犯罪処罰法、いわゆる「共謀罪法」の施行をうけ、「これでいよいよ捜査機関が日本のイスラム教徒を堂々と監視できるようになる」「これまで陰で行われていたイスラム教徒に対する警察の監視捜査にお墨付きを与えることになる」と懸念を示します。そして2010年に警視庁公安部の捜査情報がネット上に流出し、ムスリムを監視していたことが明らかになった事例を挙げ、そうした捜査が拡大すれば「他の国と同じように、イスラモフォビアの広がりに伴うヘイトスピーチやヘイトクライムなどに拍車をかけることにもなりかねない」と主張しています。

この監視の問題については2011年、在日ムスリムらが、監視は「信教の自由」やプライバシーの侵害であり違憲であるとして東京都を告訴しましたが、最高裁判所は2015年、東京都に9020万円の損害賠償の支払いを命じたものの、情報収集自体は違憲ではないという判断を下し、原告の上告を棄却しました。

アブドーラ氏は「私が日本に来てから今年で21年目になる。その間、イスラム教徒という理由で嫌な思いをさせられたことは一度もない。多様性を認める寛容な日本社会のおかげである」と記し、現在日本にはイスラモフォビアはないと指摘しています。そうであるならば尚更、イスラモフォビアなどという「新語」をことさらに多用し、日本の一般大衆に「あなた方はイスラムを嫌う悪者だ」というレッテルを貼って罪悪感を植え付け、ムスリムをその被害者だと定式化し、日本の社会に新しい分断を引き起こすようなことは厳に慎むべきです。

テロの原因はイスラム過激派自身の中にある

中村氏も、ロンドンやペンサコーラ基地のテロの犠牲者たちも、イスラモフォビアなどというものから最も遠いところにいた人々でした。彼らはイスラム教やムスリムを嫌ったり恐れたりするどころか、ムスリムに尽くし、あるいはムスリムを仲間として受け入れてきた人々でした。

彼らはイスラモフォビアだったからイスラム過激派の標的となったわけでありません。またイスラム過激派も、イスラモフォビアが原因でテロ攻撃を行なっているわけでは全くありません。

イスラム過激派テロの原因はイスラム過激派自身の中にあります。彼らは自ら、『コーラン』の様々な章句を引用し、自分たちはイスラムによる世界征服が実現されるまで神の道においてジハードを続けるのだ、と常に主張しています。

にもかかわらずメディアや「専門家」、文化人などは、イスラム過激派テロは欧米のせいだ、貧困のせいだ、あるいはムスリムを怖がるあなた方のイスラモフォビアのせいだ、などと論理をすり替えます。

２０１９年12月にサウジアラビアを訪れた国連のグテーレス事務総長は記者会見で、「テロの原因のひとつは、世界の一部地域で行われているイスラモフォビア的な感情表現と、イスラモフォビア的な政策と、イスラモフォビア的なヘイトスピーチだ」と述べました。「イスラモフォビアこそがテロの原因」論は、国連まで侵食しています。

イスラム過激派が自ら、これはイスラム教の大義のためのジハードなのだと常に主張しているにもかかわらず、親切を装った外野が「あなた方は本当は、アメリカ帝国主義や、貧困やイスラモフォビアなどのせいで愚かな行動に走ってしまった社会の犠牲者なのだ」と説明することほど、滑稽なことはありません。彼らは、テロそのものには本当は関心などないのです。彼らはテロを利用し、反米イデオロギーを主張したいだけなのです。

私たちが憎むべきはテロという卑劣な行為、テロを奨励する過激派イデオロギーそのものであるはずです。犠牲者はテロリストではなく、テロリストの銃弾に倒れた人々の方です。私たちはテロの原因を作り出す悪者などではなく、テロリストのターゲットです。

テロと戦うためには、イスラモフォビアという新奇な言葉や、メディアや「専門家」、国際機関などの巧みな印象操作、プロパガンダに惑わされることなく、現実を見つめることが何よりも大切です。

第六書簡

ハラール認証の問題

書簡A

「ハラール認証制度」などというものはない

飯山陽

ハラールとは「許されたもの」

日本でもハラールという言葉を目にしたり耳にしたりする機会が増えてきました。ハラールとはアラビア語で、イスラム教の戒律において「許されたもの」の意味です。

ハラールは日本では、来日するイスラム教徒の観光客を歓迎する「おもてなし」の主旨や、在日イスラム教徒の利便性のため、あるいはより広く多文化共生の文脈で、「ハラール認証を獲得することはよいことだ」といった具合に、ほぼ常に「認証」とセットで語られます。しかし本来、イスラム教には「ハラール認証」などという制度はありません。

イスラム教徒は神が定めたルールに従って生きなければならないと信じており、飲食物についてもそう考えています。しかし神は「禁じられたもの＝ハラーム」を定めたのであり、それ以外は全て「許されたもの＝ハラール」だというのがイスラム法の規定です。禁じられたものとは死肉、血、豚、神以外の名のもとに屠られたもの、それから酒だと『コーラン』で明示されています。ですから原則的に、それ以外の飲食物は全てハラールなのです。キリスト教徒やユダヤ教徒の食べ物は食べてもいい、といった規定もあります。

イスラム教徒は自分が口にするものがハラールかどうかをその都度、自分で判断しなければなりません。面倒に聞こえるかもしれませんが、イスラム教徒が多数を占める国においてはほとんど全てのものがハラールなので、あるものがハラールかどうかなどという問題自体がほとんど発生しません。

ところがここ数十年間に、ハラール認証機関なるものが登場しました。これは商品やレストランなどに対し有償でハラール認証を与えることにより、その商品やレストランがハラールであることを保証するという一種のビジネスです。イスラム教の歴史にも伝統にも全くないハラール認証が突如広まったのは、それがイスラム的に正しいからではありません。ビジネスになる、要するに「金になる」からです。

ハラール認証先進国であるマレーシアやインドネシアでは、ハラール認証は国が行うものとして制度化されています。インドネシアは2019年10月、今後国内で流通、取引されるあらゆる製品は全て国のハラール認証を受けていなければならないと発表し、猶予期間内のハラール認証取得を義務化しました。こうなるともう、ハラール認証料はほぼ税金だと言えます。結果として現在、本来ハラールかどうかという問題とは無縁なはずの冷蔵庫や洗濯機にまで、「ハラール冷蔵庫」「ハラール洗濯機」なるものが登場しつつあります。

神の権利の侵害

ハラール認証が広まった諸国では、人々は次第に自分でハラールかどうかを判断するという本来の義務を怠り、認証マークがついたものをハラールだと信じるようになりつつあります。しかし認証マークがついているからといって、それが本当にハラールである保証はどこにもありません。人間には本来、そんなものを保証する権利も能力もないからです。ハラール認証には常に「有効期間」が定められていますが、それにも全く合理性はありません。「有効期間」を定めているのは、定期的に認証料をとるためです。

教義を厳格にとらえるイスラム教徒から見れば、ハラール認証をするという行為は、神の権利の侵害という反イスラム的行為であり重大な罪です。また認証マークを信用するイスラム教徒も、神以外の権威を信じる「多神教崇拝」という重大な罪を犯していることになります。

しかしこうした本質的な議論がされぬまま、ハラール認証取得は商売のためにも、イスラム教徒との共生のためにもいいことなのだ、という主張だけが先行し、近年この問題は給食という公共性を有する領域にまで拡大してきました。

商売に関しては、ハラール認証料を払ってでも元がとれるならばいいのではないか、というのが私の考えです。日本企業がインドネシアで自社製品を売るためにインドネシアのハラール認証を取得する、といったプロセスは今や必要不可欠です。ハラール認証は本来イスラム教にないものですが、実際そのような制度ができた以上、それに対応するのもビジネスです。

何をハラールと考えるかは千差万別

一方で、ハラール認証料が経営上重くのしかかるような場合、例えば個人経営の飲食店などに関しては、無理してハラール認証を取得する必要はないと思います。なぜならハラール認証はそもそもそこで提供される食事がハラールであることを保証するものではありませんし、本来イスラム教徒自身が行なわねばならない、ハラールかどうかを判断する義務を代行するものでもないからです。

また下手にハラール認証を掲げることで、たとえばその店でエビを扱っていた場合、「自分はエビを扱っている店の食べ物はハラールとは認めない！　騙された！」とイスラム教徒の怒りを買う可能性があります。イスラム教徒の一部は、エビは食べることが禁じられていると信じているからです。「この店はハラール認証を掲げているが、それは私の祖国のマレーシア政府から得た認証なのか」などと確認を求められる可能性もあります。その人の信じる認証と異なっていれば「騙された！」ということになります。「この鶏肉はどこから入手したのか？　水もハラール認証されたものを使っているのか？　食器はどのように洗っているのか？」などと詰問されるかもしれません。アルコール消毒ですら、ハラールではないと考える人もいます。何をハラールと考えるかは、イスラム教徒によって千差万別です。とても個人で対応しきれるものではありません。

ですから個人の飲食店の場合には、豚不使用を示すために、店先やメニューに「No Pork」と掲げておけばいいと思うのです。あるいは逆に、豚の入っているメニューには隣に豚のイラストやマークでも付けておけばいいかもしれません。

そうすれば、「とりあえず豚が入っていなければいいや」と考える程度のイスラム教徒であれば気軽に利用できますし、食材や調理器具のひとつひとつに至るまで細かにハラール性にこだわるイスラム教徒はそもそもやってきません。ハラール認証を掲げて敷居を上げるより、こうした対応のほうがよほど実践的ですし、お金もかかりません。このやり方ならば酒を提供するのも問題ありませんし、日本人客に敬遠されるようなことにもならないでしょう。

イスラム教徒とヒンドゥー教徒、華人らが共生するマレーシアでは、このNo Pork式の店がよく見られます。No Porkと掲げられている中華料理の店では、イスラム教徒の姿も多く見かけます。しかしそもそも中華料理などあり得ないと毛嫌いするイスラム教徒は、このような店にはやってきません。判断は個々人に委ねられているのです。ハラール認証先進国のマレーシアでも、飲食店ではこのような対応が一般的です。

エジプトのように飲食物のほとんどがハラールの国では、豚肉を扱っている店で豚入りメニューに豚の印がついているパターンが一般的です。イスラム教徒は豚印以外のものを選んで頼めばいいだけで、豚を扱っていることすら汚らわしいと考えるイスラム教徒はそもそもこのような店には来ません。

日本人の経営する飲食店が、ハラール認証を受けないとイスラム教徒に来てもらえないのではないか、でも費用がかかるしどうしよう……などと気に病む必要などないのです。

不安を煽る情報を発信する「専門家」

日本ではメディアや大学教授などの「専門家」のほとんどが、とにかくハラール認証取得はいいことなのだ、それは多様性のある社会に必要なのだ、と異口同音に主張します。そうした「専門家」は自らハラール認証やハラール利権に関わっている可能性があります。

ハラール認証機関「京都ハラール評議会」の「専門家委員会メンバー」には、紫綬褒章受章者でもある元京都大学大学院教授で現在立命館大学教授の小杉泰氏、京都大学特任准教授の竹田敏之氏などが名を連ねています。

東京大学東洋文化研究所准教授の後藤絵美氏は「ハラール産業の問題点」を指摘しつつ、「ハナーンチョコ・プロジェクト」なるものを立ち上げ、ＮＰＯ法人日本アジアハラール協会からハラール認証をうけた「ハナーンチョコ」を販売しています。同協会はハラール認証料について、「加工品については、各商品に使用されている原材料、製造ラインによって認証取得の難易度が異なるため、取得までに掛かる作業工程などを考慮した、適切な料金を提示させていただいております」としています。ハラール認証された商品の代金には全てこうしたハラール認証料が上乗せされているので、当然割高となります。

イスラム教の「専門家」であるならば、そして日本社会全体の利益を考えるならば、ハラール認証に過度に神経質になる必要などないのだ、ということをより積極的に発信し、イスラム教徒とよりよい共生を営むための基本的な考え方や工夫について広く周知すべきだ、というのが私の考えです。なぜ彼らは人々を安心させる情報を発信せず、ハラール認証を取得しないとイスラム教徒に敬遠されるとか、多文化共生社会にはハラール認証が必要不可欠だといった、人々の不安を煽るような情報ばかりを発信するのでしょうか。

私は日本で外国人イスラム教徒を外食に連れていく際には、本人に食べたいものや食べたくないもの、食べられないものなどについて確認し、その上で店を選びます。多くの人は、自分が食べるものの中に豚が入っていなければいいという程度のスタンスです。日本という外国に来ているのですから、周囲の人が豚を食べていようと酒を飲んでいようと気にしない場合がほとんどです。

また私は自宅にイスラム教徒を招いて食事を振る舞うこともありますが、そういった場合にも客人に「これはハラールなのか？」と質問されたり、「ハラールなものを出してほしい」とリクエストされたりした経験はただの一度もありません。それは私に対する信頼もあるのでしょうし、そうした猜疑心の強いイスラム教徒は元より異教徒の家で食事に招かれることを受け入れたりはしないでしょう。

「特別扱い」など望んでいない

他方、給食は別問題です。

報道によると、仙台市の一部の学校ではハラール給食の提供を既に開始しているそうです。2018年6月には四日市市が、保育園や幼稚園の給食でハラール対応マニュアルを作成する方針を明らかにしました。2019年12月には静岡市の田辺市長が給食について、来年度中に「宗教上の配慮」をすると発表しました。具体的には豚肉や酒を抜くとのことでしたので、対象は明らかにイスラム教徒です。

【学校給食で宗教上の配慮検討　静岡市、来年度中にも提供】
静岡市は学校給食で豚肉などの食材が宗教上の理由で食べられない子供への対応を検討していることがわかった。静岡市の田辺信宏市長は12日の定例会見で明らかにし、「来年度中に食べられない食材を除いた給食を提供できるよう準備をしていきたい」と述べた。*10

（産経新聞　２０１９年12月12日』）


静岡市長はこれを多文化共生のための「標準装備」だと説明しています。しかしこれは、イスラム教徒の父母の要請に応じたものなのでしょうか。日本ではイスラム教徒の子供には親がお弁当を持たせている、という話をよく聞きます。学校側がお弁当持参を認めれば済む問題であり、イスラム教徒の多くは「特別扱い」など望んではいないのではないでしょうか。

行政がイスラム教徒に対し「宗教上の配慮」という「特別扱い」をするのは、逆にイスラム教徒の疎外感や孤立感を深め、イスラム教徒以外の大多数の生徒やその父母たちに不平等、不公正感を味わわせ、イスラム教徒への嫉妬や恨みを募らせる悪手となりかねません。それはお弁当持参で対応すべきだと考えているイスラム教徒にとっても、喜ばしいことではないでしょう。

繰り返しになりますが、イスラム教徒は自分が口にするものがハラールかどうかを自分自身でその都度判断しなくてはなりません。子供については監護する親が責任を持たなければなりません。つまり学校や行政に「ハラール給食を出せ」と要請するのは、イスラム教の戒律に反するのです。だから多くの場合、イスラム教徒の父母は自作のお弁当を持たせているのでしょう。

一方、行政や学校が「親切」のつもりでハラール給食を提供したところで、多くの問題が発生することが容易に予想されます。

既述のようにイスラム教徒のハラール基準は千差万別です。その全ての基準を満たすハラール食を提供することなど不可能です。そしてハラールだと掲げることにより超えなければいけないハードルは限りなく上がり、クレームがつく可能性も格段に増加します。

「仕草」や「善意」では立ち行かない現実

ハラール食の提供には余分な手間と人手、費用がかかります。そのために担当者を別に雇い、割高なハラール食材・調味料を別に購入し、調理場や調理器具や清掃用具、食器等も新たに用意するのでしょうか。その場合、それらの経費はイスラム教徒ではない他の生徒たちの父母やその他の納税者が負担することになります。

静岡市の場合、市立小中学校の生徒約4万7000人中、「宗教上の配慮」が必要なのは33人だそうです。その33人のために余分なコストを負担することは、残りの大多数の生徒の父母にとって公平性に欠けると感じられるでしょう。我が子の給食代を支払うのも厳しい状況なのに、なぜ他人の子供にかかるコストまで負担しなければならないのかという問題意識は、「あの人たちはずるい」というイスラム教徒への妬みや敵意に繋がりかねません。

＊10　https://www.sankei.com/politics/news/191212/plt1912120022-n1.html

また「宗教上の配慮」の名の下にイスラム教徒に配慮するならば、当然他の宗教や思想信条上の食餌規定にも配慮しなければなりません。ヒンドゥー教徒やヴィーガンにも対応しなければならなくなります。より多くの人が思想信条を理由に特別な配慮を要求するなら、給食制度は破綻するでしょうし、イスラム教徒だけに配慮するならその他の人々は不公平だと感じるでしょう。

さらに、人間の行動には過ちがつきものです。調理担当者がハラールではないものを混入させる可能性もあれば、生徒が間違えてイスラム教徒に豚肉入りのものを配膳してしまう可能性もあります。ハラールを提供すると宣言することは、こうした発生しうるトラブルの責任の全てを負わなければならないことにもなります。

マイノリティなど社会的弱者への配慮は、リベラルな社会の鉄則です。しかし特定のマイノリティだけを特別扱いすることが社会の分断や憎悪といった別の、場合によってはより大きな問題を引き起こすとすれば、本末転倒です。

多文化共生社会は「人権」や「社会的弱者の救済」といった理念や、異文化に理解があるかのような「仕草」だけでは立ち行きません。見当違いな配慮や、コストを負担する側の不満を勘案しない一方的な「善意」は、多文化共生社会に寄与するどころか、容易にそれを破壊するでしょう。

書簡B

ハラール認証は瀆神の所業

中田考

序

今回は飯山さんからのリクエストで、嫌で嫌で嫌で嫌で嫌で仕方ない「ハラール認証」の話をします。ああ、嫌だ、嫌だ、嫌だ、嫌だ、嫌だ、嫌だ、嫌だ。

私は、イスラームは分からない、私の目的はイスラームが分からないことを分からせることだ、と常々言っていますが、一口に「分からない」と言っても、「分からない」にもレベルというものがあります。たとえば円周率が1とか10とか言っている人に、円周率が2と4の間にあることがわかってもらえれば満足、というぐらいの解像度の話を普段は目指していります。私自身はといえば、円周率は3ぐらいだ、という程度の認識です、私のイスラーム学は。

しかしハラール認証は、円周率が∞（無限大）とかℎ（プランク定数）とかいう壮大な勘違いを糺す、という話です。これはもう円周率がいくつかを説明すればよい、というようなことではありません。説明すべきは、なぜ「∞（無限大）」とか「ℎ（プランク定数）」などというとんでもない勘違いが生まれるかです。ハラール認証は、実はイスラーム法学だけではなく、イスラーム神学、クルアーン学、ハディース学などのイスラーム諸学だけではなく、キリスト教、ユダヤ教、西欧帝国主義の歴史、東南アジア・イスラーム地域研究、日本の行政、そしてなによりも言語哲学、法理学の基本的な知識がないと理解できない大変やっかいな問題です。しかし私がこの問題に触れるのが嫌で仕方ないのはハラール認証が、単に知識の問題ではなく、なによりも利権の問題であり、この問題を論ずるには、どうしても宗教の名を騙る利権屋どもの汚らわしい言動に言及しなくてはならないからです。

最初に結論を述べておくと、ハラール認証ビジネスは一つの例外もなく全てが詐欺であり、ハラール認証はイスラームの教えに厳格どころか、それを犯せばもはやイスラーム教徒ではなくなる最悪の罪、多神崇拝（シルク）に他ならない、ということです。殆ど理解されないと思いますが、順に話をしていきましょう。

多神崇拝

ハラールは、「イスラーム法上許されているもの」と説明されます。一見、正しく見えますが、そもそも「イスラーム法」とか「許されている」という言葉の厳密な意味が解っていなければ誤解を招くだけです。イスラーム学において「イスラーム法」や「許されている」という言葉の正確な意味は拙著『イスラーム法の存立構造』（ナカニシヤ出版、2003）と『イスラーム法とは何か？』（作品社、2015）を参照してもらうとして、簡単に言うと、通常イスラーム法学と訳されるイスラームの行為規範学「フィクフ」は人間の行為を（1）「行うことで報酬を得、行わないことで罰を受ける行為」義務、（2）「行うことで報酬を得、行わなくとも罰されることはない行為」推奨、（3）「行わないことで報酬を得、行うことで罰される行為」禁止、（4）「行わないことで報酬を得るが、行っても罰されることはない行為」忌避、（5）「行っても報酬を得ず、行わなくとも罰されることはない行為」合法、の五つの範疇に分類します。「ハラール」とは法学の専門用語としては（5）の「合法」を意味し、「ハラーム」は（3）の「禁止」を意味します。しかし、ここで言う罰と報酬はこの世での刑罰や褒賞金のようなものではなく、死後の火獄と楽園であり、それは復活の後の全知全能のアッラーの最後の審判の裁きによるものです。

イスラーム法の立法者はアッラーただ一人であり、国家のような架空の法人は言うまでもなく、カリフ、スルタンでさえ、ただイスラーム法の行為規範の順守義務を課される責任能力者（ムカッラフ）でしかありません。しかし、イスラーム法では窃盗の手首の切断のような刑法があり、カリフやスルタンはその刑罰を科す者だと思われるかもしれません。そのように日本的な理解にも一面の真理は含まれますが、実は本質的に間違っています。クルアーンに書かれているのは「男の盗人と女の盗人は両者の手を互い違いに切り落とせ。……」（クルアーン5章38節）です。これは本来は預言者ムハンマドとその代官たちに対する神の命令です。窃盗はアッラーが禁じたことですが、イスラーム法上のその刑罰は来世における獄火による懲罰であって、手首の切断ではありません。この窃盗の手首切断刑の啓示は、預言者の後継者カリフとその代官たちへの命令であり、窃盗の手首を切断せよ、との命令に背いたカリフとその代官たちは最後の審判でその罪を問われ、有罪と決まれば獄火の刑罰に処されるのです。

イスラーム法は、義務は力に応じる、を基本理念とします。それゆえ政治力、経済力、学力、知力、胆力、体力にすぐれたカリフやスルタンなどの為政者は、礼拝やラマダーン月の斎戒断食などの義務や飲酒、姦通の禁止など一般のイスラーム教徒が守るべき規定に加えて、権力者だけにしかできないために凡俗にはない特別な「政治的義務」が課されます。窃盗の手首切断などのいわゆる「イスラーム刑法」の施行もその一つですが、異教徒に対するジハード（正戦）やジズヤ（人頭税）徴税などもそうです。

立法権を神にしか認めないイスラームには西欧型の三権分立は存在しません。しかしアメリカの大統領令のように、カリフは天啓法（シャリーア）の施行細則としての行政命令を発することはできますので、一種の立法権を持ちます。またカリフは、天啓法を施行するにあたって解釈しなくてはならないので、カリフには行政権と司法権があります。ただイスラーム教徒の数が十数億にもなると行政も司法もカリフ一人ではこなせないので、実際には司法は「カーディー」と呼ばれるイスラーム法裁判官に委嘱することになります。

先ず、イスラーム法においては、権威は神だけであり、大雑把に言えば――本当は言いたくないのですが言わないと話が先に進まないので仕方なく言います――国家元首にあたるカリフ、スルタンも裁判官にあたるカーディーも、大人が子供より責任、義務が重いように、大きな力を持つが故に他の者より責任、義務が重いだけで、ただの責任能力者（ムカッラフ）でしかないことをしっかり肝に銘じてください。国家であれ、政府であれ、立法府、司法府、行政府などというもっともらしい区分も含めて、何の権威も持たない、むしろイスラーム法に従っているかどうかを厳しく問われる存在であることを理解しないとハラール認証の話は入り口にも立てません。本当は、そもそも法人などというものの存在、というか存在するという幻想がイスラームに反する、という話は今回は禁欲しあやふやなままに先に行きましょう。

通常のイスラーム法、というかフィクフの本を読むと――と言っても、読者の中にはアラビア語で書かれたフィクフの本を読んで暮らしている人は殆どいないでしょうが――人間の行為を上記の五つの範疇に分類する、と書いてあります。それはフィクフがムスリム、それもイスラーム法の基本を学んでいるイスラーム学徒を読者として想定しているからで、イスラーム学にとっては言うまでもない当然の前提が省略されており、実のところ、人間の行為範疇は六つ、つまり、「義務」「推奨」「合法」「忌避」「禁止」「不信仰」になります。但し、「不信仰」は、他の五つの範疇とは質が違います。他の五つの行為範疇が単独の行為に帰属し、ひとつひとつの行為の総計の清算によってその人が楽園の永遠の至福に与るか、火獄の懲罰に晒されるかが決まるのに対し不信仰は、それによって火獄での永遠の懲罰が必定となり、他の全ての善行の楽園の報奨が無効になってしまいます。火獄での永遠の懲罰に値する不信仰とは、クルアーンが「アッラーは多神崇拝は決して赦されないが、それ以外のことはお望みの者には赦し給う」（4章48節）と述べているようにイスラーム法システムは、来世での獄火の懲罰と楽園の報奨によって構造化されていますので、来世での楽園の報奨が機能しなくなる不信仰に陥った者はイスラーム法の行為主体、責任能力者（ムカッラフ）ではなくなる、ということです。

ですから、イスラーム教徒が本当に問題にすべきは「ハラールかハラームか」ではなく、まず「イスラームか不信仰（クフル）か」、あるいは「唯一神崇拝（タウヒード）か多神崇拝（シルク）か」です。そしてハラール認証は不信仰（クフル）の最悪の形態、多神崇拝（シルク）であり、更に多神崇拝の中でも最悪のファラオの業である、というのが私の言いたいこと――多神教であるだけでなく、「ビドア（異端）」で、「ズルム（不正）」で、詐欺で……といくらでも悪口が続くのですが――なのですが、なぜその話に入る前に、延々とイスラーム法の話をしたかと言うと、「ハラール認証が多神崇拝である」との私の言明の意味が、イスラーム教徒でない日本人が考えるそれとは全く違うからです。イスラーム教徒でない日本人だけではなく、イスラーム教徒を自称する現代の十数億人の大半にも私の言葉が通じないのがなんとも悩ましいのですが、それはまた別の問題です。

瀆神の所業

やっと「ハラール認証が多神崇拝である」という本題に入りますが、まず分かり易い話をしましょう。多神崇拝は既に日本語にもなっていますので、イスラームの「シルク」とも共通する大雑把な概念は理解できるでしょう。たとえば太陽を神として崇め、アッラーと並べて拝めば多神崇拝です。太陽の化身、天照大御神でも同じでしょう。聖書では「パロ」、クルアーンでは「フィルアウン」と呼ばれる古代エジプトの帝王「ファラオ」も天空神ファルスの化身で太陽神ラーの子供とも言われていますので同じようなものでしょう。クルアーンにも古代エジプト人はモーセとイスラエルの民を迫害する悪の多神教徒として登場します。クルアーンには多くの多神教徒の悪人が登場しますが、圧倒的なラスボス感を漂わせているのが、エジプト人たちに「我はお前たちの主である」と言い放ったファラオです。つまり、アッラー以外のものをアッラーに並べて拝む多神教徒たちの中でも、自分自身を神としてアッラーに並べ自分だけでなく人にもその崇拝を強要することこそ、イスラームにおいて決して赦されない最悪の罪である多神崇拝の中でも最も重い罪だと言うことです。

クルアーン9章31節は、「律法学者や司祭たちをアッラーを差し置いて主としている……」とユダヤ教徒とキリスト教徒を多神崇拝の咎で譴責していますが、伝承学者タバリー（923年没）のクルアーン注釈はこの節の啓示の契機を以下のように伝えています。

預言者ムハンマドは金の十字架を掛けていた（キリスト教から改宗した教友）アディー・ブン・ハータムに「その偶像を首から取り外しなさい」と言って「律法学者や司祭たちをアッラーを差し置いて主としている…」の節を読み上げました。そこで（アディーが）「私たちは彼ら（司祭たち）を崇めていたわけではありませんではないですか」と言うと（預言者は）「アッラーがハラールとされた（許された）ものを彼ら（律法学者や司祭たち）がハラームとする（禁じる）とあなたがたはそれをハラームとし、アッラーがハラームとした（禁じられた）ものを彼らがハラールとするとあなたがたもそれをハラールとするではありませんか」と言われた。そこで（アディーが）「確かにそうです」と言うと（預言者は）「それが彼ら（司祭たち）を崇拝するということです」と言われました。

キリスト教徒であった新入信者のアディーがキリスト教的に「崇拝」を有難がって拝むことと考えていたのに対し、預言者ムハンマドは、崇拝とは何よりもハラールとハラームの問題であると教えたのです。つまり唯一神崇拝とは、神の啓典の教え、ムスリムであればクルアーン、キリスト教徒であればモーセの律法（トーラー）とイエスの福音書の教えを守ることであり、多神崇拝とは啓典の教えに背いて人間が決まりに従うことであると教えたのです。既に述べたクルアーンの句「われの徴とひきかえにわずかな代価を得てはならない」（5章44節）もタバリーによると、もともとモーセの律法（トーラー）の教えを歪曲して人々を騙して役得を得たユダヤ教の律法学者のことを多神崇拝を犯す不信仰者として非難するものです。

ユダヤ教の律法学者（ラビ）たちは、モーセの律法にない様々な清浄な食物（コシェル）の規定を作り上げましたが、アメリカのユダヤ教徒正統派が1898年に設立した正統派連盟（Orthodox Union）が1924年に初めてコシェル証明（ヘフシェル）発行機関を設立し、現在では世界中に千以上のコシェル証明会社が存在すると言われています。このユダヤ教のコシェル証明は、ラビが監督し手数料を取って証明を発行するもので、まさにクルアーン5章44節の言う神の印を売り払う所業に他なりません。

実は、現行のハラール認証ビジネスは、ラビの代わりにイスラーム学者が監督し、コシェルの代わりにハラールのマークを売るだけで、啓典にない様々な規定を作り上げてそれを口実に検査が必要と称して手数料を取る手口もこのコシェル証明とまるっきり同じ、ユダヤ教徒の猿真似です。そもそもイスラームの歴史を少しでも勉強すれば分かることですが、預言者ムハンマドも正統カリフも、スンナ派4大法学祖も、またイスラーム文明の完成期のアッバース朝のカリフたちも、オスマン帝国のカリフたちも敢えてしなかったことです。

イスラームの初期世代に存在しなかった新奇な儀礼や教義をビドアと呼びます。「新奇な事柄を警戒せよ。新奇な事柄はすべてビドアであり、全てのビドアは誤りであり、全ての誤りは獄火に落ちる」との預言者ムハンマドの言葉により、新奇な思い付きでイスラームを改変することはビドアと呼ばれ、イスラームでは忌むべき逸脱として禁じられています。また「ある民の真似をする者は、それらの民の仲間である」との預言者ムハンマドの言葉によって、異教徒の真似をしてイスラームの教えにないことを行うことは、背教ともみなされかねない大罪です。

ハラール認証ビジネスとは、預言者ムハンマドとその後継者のカリフや大学者たちのような正真正銘のイスラームにおける「権威」が決しておこなわなかった宗教の押し売りを、宗教を売り物にするユダヤ教徒のラビたちの猿真似をして始めた瀆神の所業です。

アッラーは、神の名を騙って他人を支配しようとする詐欺師たちから人間を解放するために、誰もが自分でハラール、ハラームの判断を下す指針とすることができるように明白な「啓典（キターブ・ムビーン）」クルアーンを下されました。

預言者ムハンマドは「アッラーがその書の中でハラールとされたものこそがハラール、アッラーがその書の中でハラームとされたものこそがハラームであり、言及されなかったものはお目こぼし（アーフィヤ）です。それゆえアッラーからのお目こぼしを戴きなさい。なぜならアッラーは何物もお忘れになることはないからです」と言われ「汝の主は忘却者ではあらせられない」（クルアーン19章64節）の節を読み上げられた、と伝えられています。

ハラール認証ビジネスの利権屋たちがよく引用する預言者ムハンマドの言葉に「ハラールは明白であり、ハラームも明白であるが、その間には多くの人が知らないさまざまな曖昧な事柄がある。曖昧な事柄を避ける者は、自分の宗教、名誉を護るが、それに足を踏み入れる者はハラームに陥る。それは禁猟区のまわりで動物を飼う牧童が、家畜がその禁猟区の中で草を食んでしまう危険を冒すようなものである」があります。ここでもハラールとハラームは明白であり、その間に曖昧なことがあると断言されています。ハラームではなくとも気付かずにハラームを犯してしまわないように曖昧なことを避けることは、法学的なハラームやハラールの範疇とは別で、イスラーム学では篤信（ワラウ）と呼ばれ、お説教ではよく取り上げられるテーマです。しかし篤信（ワラウ）を求めることは、イスラーム学を修めた学究には意味があっても、アラビア語も分からず、明白なはずのハラールとハラームも分からない無知な凡俗（ジャーヒル、アーンミー）には、自分が篤信であるとの傲慢な勘違いを生むだけで、有害無益でしかありません。自分でクルアーンを読んで、書かれていなくて分からないことがあれば、無知を恥じつつそれは神さまからの「お目こぼし（アーフィヤ）」として有難く押し頂くのが正しい態度でしょう。

たとえば、食肉に関して、「またアッラーの御名が唱えられなかったものを食べてはならない」（6章121節）を根拠に、ムスリムの屠殺人が「ビスミッラー（アッラーの御名によって）」

と唱えて正式な手続きに従って屠った肉以外はハラームだ、とよく書かれています。イスラーム法上、屠殺の作法としては、アッラーの御名を唱えて鋭利な刃物で脊髄を切断しないように頸動脈を素早く切る、などの作法が定められていますが、法学的にはアッラーの御名を唱えることは義務とはなっていません。その根拠は、アーイシャが「イスラームに入信したばかりの部族が、アッラーの御名を唱えたかどうか知らない肉を持ってきました」と預言者ムハンマドに尋ねた時に、「あなたがたでアッラーの御名を唱えて食べなさい」と答えられた、との伝承です。クルアーンには「アッラーの御名が唱えられたもの」とは書かれていても、いつ唱えるかについては語られていないからです。それについては各自が自分の知識に応じて判断すればよいのであり、屠殺の時点で神の御名が唱えられているかどうか分からなくても、食べる時に唱えることもできる、と預言者ムハンマドはアーイシャに教えられました。詳しくは次項の「利権屋たち」のクフタロー師のファトワーを参照してください。

ここで重要なのは、預言者ムハンマドは、無知な新入信者が持ってきた誰がどのように屠ったか分からない肉をどうすべきかを尋ねられて、その肉を誰がどのように屠殺したかを詮索しろとは命じられず、また素性が怪しい肉は食べるな、とも命じられず、自分で神の御名を唱えて食べるように命じられたことです。また今後はイスラームに入信した部族に検査官を送り屠殺の現場を調べさせ手数料を払ってハラール証明書を取得した部族の肉だけを市場で売ることを認める、などとも指示されませんでした。

預言者ムハンマドとその弟子たちは人類の中で最も神を畏れる篤信のムスリムでした。その彼らがしなかった検査官の派遣による屠殺の方法の詮索と証明の押し付けなどは、敬虔でも篤信でもなく、イスラーム法を厳格に守るどころか、預言者の教えに反するばかりか、預言者より自分たちの方が厳格だとの思い上がり、預言者への侮辱に他ならないのです。

利権屋たち

ではハラールな食べ物を求める、とはどういうことでしょうか。スンナ派イスラーム学で参照される最も標準的な古典ガザーリー著（1111年没）『宗教諸学の再生』には「ハラールとハラーム」の章があり、篤信者の逸話が数多く取り上げられていますが、その中には、他人の屠殺の仕方や不浄な混入物を詮索したり自分の基準を押し付けるような話は一つもありません。篤信者たちが気にかけていたのは、不正な方法で手に入れたり、自分に権利がない食べ物を食べないことです。初代正統カリフ・アブー・バクルは、自分の召使いが禁じられた占いの対価にもらった乳を吐き出し、第二代正統カリフ・ウマルも国庫に納められた浄財の乳を自分のものと間違えて飲んだ時にやはりそれを吐き出しました。また正統カリフの時代が去り不正なカリフたちの時代に生きたビシュル・ハーフィー（禁欲者、スーフィー、841年没）などの篤信者の中には、不正に財をなした統治者が掘った運河から引いた水を飲まず、その水をやったブドウの実は食べなかった者もいる、と、伝えられています。一方でカリフ・

ウマルは、不浄物が混入した異教徒の水瓶の水で身体を浄めていたのであり、その飲用も許されることになります。

もし食品がハラールかどうかを気にするなら、その食品の材料を買う契約がイスラーム法に適っていたのか、その食材を買ったお金に利子などイスラームが禁ずるハラームな金が混ざっていなかったか、などを調べるべきでしょう。現代経済システムでは資本主義、社会主義の区別なく、もちろん、ムスリム国家であっても、政府が通用を強制する法に定められた通貨を管理する中央銀行の発行する紙幣が、法定金利で民間銀行に貸し出されていますので、全ての取引はハラームな利子で汚染されています。ちなみに日本の場合、民間銀行が日本銀行に無利子で預けることが義務付けられている法定準備金は10兆円程度なのに対して有利子の超過準備金は２５０兆円もあります。日本で取り引きされている以上、ハラールな食品など存在するはずがありません。利子だけが問題ではありません。不正な為政者との関りもないことも重要です。そもそもイスラーム法上合法な為政者はカリフだけであり、現在のムスリム諸国の支配者たちは例外なく不正、という「そもそも論」は書きたいですが、書き始めるときりがないのでやめておきましょう。

またハラール認証の利権屋たちが隠していることですが、「啓典の民の食物は汝らに許されている」（5章5節）に基づき、キリスト教徒とユダヤ教徒の屠殺肉は合法であることは全てのイスラーム法学派のコンセンサスです。現代の法学者でもトルコ語、マレー語、ウルドゥー語、ペルシャ語にも翻訳されている最も権威ある法学書『イスラーム法学とその典拠（al-Fiqh al-Islāmī wa Adillatu-hu）』（全８巻）の著者ワフバ・ズハイリー師（２０１５年没）も「キリスト教国からの輸入肉はたとえ屠殺時にアッラーの御名が唱えられていなくても食用が許される」と明言しています。ちなみにワフバ・ズハイリー師は私が監訳した『日亜対訳クルアーン』（作品社、２０１４年）に推薦文を寄せてくれています。またこのズハイリー師の見解については、私は師事していたシリアの共和国最高ムフティー（諮問官）アフマド・クフタロー師（２００４年没）にアメリカやオーストラリアからの輸入肉を食べて良いかと質問し、問題ないとの公式な回答（ファトワー）をもらっています。

マレーシアにしろ、他のどこの国にしろ、そもそも自称、他称のムスリムたちが本当にムスリムかどうかは疑わしいですが、既に書いたようにそれを詮索することは私の仕事ではありません。ムスリムが多数の国で売られている肉であれば、誰が屠殺したのか、ムスリムと言われているとしてそれが本当にムスリムか否か、どういう風に屠殺したのかを特に詮索せず食べるのが今も昔もイスラーム学者たちの生き方です。キリスト教徒が多数の国で売られている肉であれば、屠殺した者が本当にキリスト教徒かどうか、どのように屠殺したのかなど詮索せずに食用が許されている啓典の民の食べ物と考えるのも同じで、キリスト教国からの輸入肉であれば、特に詮索せずに、合法と判断するのが、イスラーム学を修めた学識あるイスラーム法学者の思考です。

بسم الله الرحمن الرحيم

مجمع
أبي النور الإسلامي

الفتوى الثالثة

السؤال :

يقول د. وهبة الزحيلي في كتابه الفقه الإسلامي وأدلته ج٣ ص ٦٨٩: لا مانع من أكل الذبائح المستوردة من البلاد النصرانية حتى وإن لم يسم عليها ، وعليه هل يجوز أكل اللحوم المستوردة من أمريكا أو أستراليا التي تباع في الأسواق بدون كراهة في الوقت الذي يمكن فيه الحصول على اللحوم المذبوحة بالأسلوب الشرعي بطريقة فيها كلفة ؟

المستفتي : د. حسن كوناكاتا

الجواب :

يجوز أكل اللحوم المستوردة من البلاد النصرانية ، ولا حرج في تناولها لعموم قول الله تعالى : ﴿ **وطعام الذين أوتوا الكتاب حلّ لكم** ﴾(١) ولا يشترط التسمية على ذبيحة الكتابي ، ولا يشترط كذلك التسمية على ذبيحة المسلم(٢) للحديث ((**جاء رجل إلى النبي ﷺ فقال : يارسول الله أرأيت الرجل منا يذبح وينسى أن يسمي الله تعالى ؟ فقال : اسم الله في قلب كل مسلم**))(٣)

فلذلك لا حرج البتة في أكل ذبائح أهل الكتاب ، ولا يكلف المسلم بشراء ذبيحة المسلم إذا كان في ذلك كلفة.

دمشق في ١٤١٨/١١/٢هـ الموافق لـ ١٩٩٨/٣/١م.

د. الشيخ أحمد كفتارو
المفتي العام للجمهورية العربية السورية
رئيس مجلس الإفتاء الأعلى ومجمع أبي النور الإسلامي

(١) سورة المائدة : [الآية : ٥].
(٢) مغني المحتاج ٦/صفحة ٩٥ ومابعدها.
(٣) نصب الراية ١٨٢/٤

-٣-

سوريا ـ دمشق ركن الدين ـ شارع الشيخ امين كفتارو ـ هاتف ٧٧٧٦٦٥٣ ٧٧٧٢٠٣٢ تلكس ٤١١٨٥٦ فاكس ٧٧٧١٥٦٧ ص.ب ٤٦٥٦

クフタロー師のファトワー

慈悲深く慈愛遍きアッラーの御名において

アブー・アル＝ヌール・イスラーム学院

ファトワー3

質問：
ワフバ・アル＝ズハイリー博士はその著『イスラーム法とその典拠』3巻689頁において、「キリスト教国からの輸入肉は、たとえ屠殺時にアッラーの御名が唱えられていなくても食用が許されている」と述べています。それではシャリーアに則って屠殺肉が多少の負担で入手可能な場合でも、店で市販されているアメリカやオーストラリアからの輸入肉の食用は許されるのでしょうか。
ファトワー請求者：Dr.ハサン中田考

回答：
「啓典の民の食物は汝らに許されている」（注1）との至高なるアッラーの御言葉の一般原則に基づき、キリスト教国からの輸入肉は許され、それを食べることに問題はない。
啓典の民の屠殺肉にはアッラーの御名を唱えることは条件とならない。また同様に「ある男が預言者（彼にアッラーの平安と祝福あれ）の許にやってきて『アッラーの使徒さま、我々の中の一人の男が屠殺をするのに至高なるアッラーの御名を唱えるのを忘れたのをご存知でしょうか。』と尋ねた時、彼は『アッラーの御名は全てのムスリムの胸中に存在する。』と言われた。」（注2）とのハディースに基づき、ムスリムの屠殺肉にもアッラーの御名を唱えることは条件とならない。（注3）
それゆえ啓典の民の屠殺肉を食べることに全く問題はない。またムスリムは負担になるなら、ムスリムによる屠殺肉の購入が義務として課されることはない。

ヒジュラ暦1418年11月2日 － 西暦1998年3月1日　ダマスカス
Dr.アル＝シャイフ・アフマド・クフタロー
シリア・アラブ共和国総ムフティー
イフターゥ最高評議会議長/アブー・アル＝ヌール・イスラーム学院院長
(署名)

（注1）　クルアーン第5［食卓］章5節
（注2）　『ナスブ・アル＝ラーヤ』第4巻182頁
（注3）　『ムグニー・アル＝ムフタージュ』第6巻95頁以降

クフタロー師のファトワーの翻訳

ハラールな肉が欲しければ、日本人の無知につけ込み勝手な基準を設けてハラール認証を押し付ける利権屋たちのハラール・マークのついた肉など買う必要はなく、ズハイリー師やクフタロー師の法判断に従い「啓典の民」の国、アメリカ、オーストラリア、ニュージーランド、ブラジルなどからの輸入肉を買えばよいのです。

ちなみにゼラチンについても国際イスラーム学者連盟会長のユースフ・カラダーウィー師が「豚の骨由来のゼラチンのような豚に由来する多くのものは既に変質しており不浄ではなく禁じられた豚肉とは看做されない」と述べています。これもイブン・タイミーヤ（1328年没）などの古典イスラーム法学の大学者の学説に基づいています。

また酒についても、アルコールが少しでも入っていればハラームだ、とハラール認証ビジネスの利権屋たちは騒ぎ立てますが、そもそもアルコールなどという概念はシャリーアにはありません。ちなみに「アルコール」は中世アラビア科学の「al-kahl」の語からの借用語ですが、「al-kahl」アンチモンであり、「アルコール」とは無関係です。少量の酒の禁止の典拠は、「大量で酔わせる物は少量でもハラームである」との預言者の言葉ですが、これも「少量」の意味を現代風に化学的成分分析で検出されるようなものと考えるのはイスラームへの無知の所産です。預言者の言葉の意味はクルアーンや別の預言者の言葉に照らして解釈しなければなりません。これに関しては、アフマド・ブン・ハンバルやティルミズィー、アブー・ダーウードが「1f-r-q飲んで酔うものは掌一杯でもハラームである」との預言者の言葉を伝えています。ハナフィー派の大法学者アリー・ブン・スルターン（1606年没）によるとf-r-qには第二語根を母音アでfaraqと読む写本と第二語根を母音無しでfarqと読む写本があり、ファラクは16ラトル、ファルクは120ラトルです。ラトルは重量と容積の両方に使う単位で地方と時代により内実が異なるのですが、大雑把に言えば、12ムッドであり、1ムッドは両掌に1杯分であり、およそ450mLと言われます。

つまり「1f-r-q飲んで酔うものは掌一杯でもハラームである」との預言者の言葉の意味は「86・4リットル、あるいは648リットル飲んで酔うものは225mLでもハラームです」となります。アリー・ブン・スルターンはファルクの読みを採りますが、いずれにしても誇張だと言います。人間が飲める量はせいぜい数リットルでしょうから、この言葉は「数リットル飲んではじめて酔うような薄い酒であっても、わずかコップ一杯ほどの量でさえもハラームである」といった意味になります。預言者ムハンマドは組成の化学的分析ができる測定器などなくても誰でもハラームとハラールを判断できるように、「酔わせるもの」とか「掌一杯」などの誰にでも分かる判定基準を示されました。「少量」とは誇張して「掌一杯」になるぐらいの常識的な飲酒量であることがわかりましたが、そもそも「酔わせる」とはどういう意味でしょうか。クウェイトの出版する『イスラーム法学辞典』は「酔い」を、譫言を言い、自分の服や靴と他人の服や靴を取り違え、天地、男女の区別がつかなくなる状態と定義しています。これらのイスラーム学の古典を紐解けば、ハラール認証ビジネスの利権屋たちにだまされることなく、アッラーの啓示クルアーンと預言者ムハンマドの言葉に則って自分でハラールとハラームを判断することが出来るようになります。

なぜハラール認証に期限が有るのか

ハラール認証の検査官が出来ることは、自分が現場に行ったその日に見たものについてハラールかそうでないかを言うことだけです。ところが既に述べたようにハラール認証制度では、1年とか2年とかの期限があり、検査官が現場で検査をするのは最初の一回というのが原則です。時々抜き打ち検査をするにしても本質は同じで、検査に立ち会った日以外は自分が見てもいないものをハラールだと言っているのです。厳格どころか詐欺でしかないことが分かるでしょう。ハラール認証制度は、検査官は1日立ち会っただけで、それと同じことをその店、あるいは工場が認証期限中はずっと行っている、という前提で、認証料を取って、自分が見てもいないものをハラールだと言う制度なのです。本当に製品がハラールなら、それはその店の人間が信頼できるからです。そして信頼に足る人間であれば、一度ハラール認証を出せば、そのままの営業を続ける限り、ずっとその店のものはハラールなはずです。そうではなくて認証が必要なら、検査官はそれらのレストラン、工場、屠殺場に常駐し、全ての製品について、毎日チェックしなければなりません。勿論、その費用をハラール利権屋に払うことになります。そんな余計な人件費を払うと小さな店は潰れてしまいます。金づるを潰してしまっては元も子もありませんから、生かさず殺さずに搾取する手段が期限を決めて一回の検査をしただけでその手数料とは別に認証料の名目で金を取る認証ビジネスなのです。

　その店の人間が信頼に足る人間であれば、ハラール認証屋などから認証を受けなくても、その認証屋の言うハラール基準であれ、他の認証屋の基準であれ、あるいは自分たちが信頼するイスラーム法学者に聞いたり本やネットで学んで自分たちが考えた基準であれ、それに基づいて自分たちがハラールであると判断すれば、望むなら自分でハラールのマークを付ければよいのです。そもそもハラール・マークのロゴ、といっても、ただアラビア語でハラールと書いてあるだけですから、ロゴにすること自体がおかしいのです。

　既に述べた通り、ムスリムは各自がクルアーンとスンナに従って正しく生きる義務があります。それをアラビア語ではイジュティハードと呼びます。イジュティハードとはイスラーム法の専門用語としては資格のある法学者がクルアーンとスンナから法規範を演繹する行為を意味します。しかしもともとはイスラーム法でも、礼拝をする時にマッカの方向がどちらかを太陽や星の位置から判断するような、自分が何をすべきか判断することもイジュティハードと言います。「クルアーンとハディースに従ってイジュティハードすることが、各人の義務である」と大法学者イブン・タイミーヤが述べているのもこの意味です。イジュティハードについては、預言者ムハンマドが、「法判断を下す者がイジュティハードを行えば正しければ二つの報奨、間違っていても一つの報奨を得る」と言われています。つまり自分自身のことについては、たとえ結果的に間違えようとも自分自身で判断することが許されるばかりか義務になるのです。それがアッラーではなく、つまりクルアーンとスンナではなく、人間が決めた規則に従うことを偶像崇拝、多神崇拝として拒否するイスラームの教えです。揺り籠から墓場まで、あらゆることに国家の許認可がなければ安心できない、国家に飼いならされて心身ともに国家の奴隷となりながらそのことに気が付かない日本人、というより、ムスリム諸国の人々を含む現代人が、ハラール認証を食品衛生基準の認可のようなものと考えているのとは違うのです。

結語

なによりも呪わしいのは、ムスリム諸国、特にマレーシア、インドネシアのような国家崇拝の反イスラーム国家のハラール認証屋どもが、２０２０年の東京オリンピックでのムスリム諸国からの観光客の誘致を餌に、日本の政府や地方自治体に食い込んで巨額の利権を得ようとしていることです。そもそもハラール認証のような「宗教行為」に「政教分離」を謳う日本の公的機関が予算をつけて財政的な支援をすることが許されるのか、は、「政教分離」という西欧起源の法原則の「いかがわしさ」を明らかにする大問題ですが、それは別途また論じることができれば、と思います。

第七書簡

イラン／アメリカ関係の深層

書簡A

イランとアメリカの対立とソレイマーニー暗殺

中田考

序

２０２０年１月３日、トランプ米大統領の命令により、バグダード国際空港でイラン革命防衛隊（ＩＲＧ）ゴドス部隊のガーセム・ソレイマーニー司令官が同行していたイラク・ヒズブッラー大隊司令官アブー・マフディー・ムハンディスと共に爆殺されました。

直接のきっかけは、２０１９年12月にアメリカ軍によるイラク・ヒズブッラー大隊の基地空爆に対して暴徒がバグダードのアメリカ大使館を襲ったことでした。この米大使館襲撃の裏で糸を引いていたのがイラン革命防衛隊の国外工作担当ゴドス部隊司令官ソレイマーニーであり、ソレイマーニーが更なるアメリカの権益への攻撃を企てている、というのがトランプの爆殺指令の理由でした。現時点では、トランプは、ソレイマーニーの具体的なアメリカ襲撃計画の証拠を提示していませんが、それはここでは問題ではありません。

問題の背景

トランプはソレイマーニー爆殺に先立って2019年4月8日にイラン革命防衛隊を国際テロ組織に指定していましたので、アメリカ、というかトランプの中ではそれなりに整合性がある話でした。イラン革命防衛隊を「テロ組織」と呼ぶのは、「全ての警察、軍隊はテロ組織だ」という私の正しい言葉の定義によるだけではなく、「テロ」研究者の間でもそれなりに広がっている言葉遣いですので、爆殺を当然視する声も聞かれます。とはいえ、トランプでさえ、国連加盟国の正規の軍組織をテロ組織に指定したのはイラン革命防衛隊が初めてであり、異例な処置であることは間違いなく、しかも、アメリカの「友邦」イラクを賓客として訪問中に、イラクの有力な政治家（軍閥）アブー・マフディー・ムハンディスもろともに殺害したわけですから、国際法の専門家でなくても、国際的な大問題であることだけは分かります。

その意味では第三次世界大戦に発展しかねない危機だ、と煽り立てる記事があったのも理解できますが、アメリカとイランが正面から戦争になった場合、中露は口先ではアメリカを非難してもイランについてアメリカに宣戦布告をすることはありませんので、地域紛争以上のものに発展することはなく、第三次世界大戦になる可能性は最初からありませんでした。ソレイマーニーの爆殺の前、トランプ政権の「最大限の圧力」、厳しい経済制裁の下でイランの通貨リヤールは下落し、物価は高騰し、庶民生活は苦しくなっていました。そうした時期にイランの「英雄」であり革命の対外工作の総司令官であったソレイマーニーの殺害をトランプが指示したのはイランの現政権を追い詰め転覆させる目的であったと推測したくなるかもしれません。しかしそれは中期的にも短期的にも間違っていると思います。

反イラン・デモ

順に説明しましょう。実はソレイマーニー爆殺は、ガソリン値上げの発表を機に2019年11月15日に始まりイラン全土に広まり収束の目途がたっていなかったデモの最中に起こりました。このデモは千人を超す犠牲者を出し「イラン革命以来最大規模の反体制デモ」とも欧米では報じられました。ところがイラン国内においては「英雄」であるだけでなく「アイドル」的人気を誇っていたソレイマーニーの爆殺で、国内のムードは一転し追悼ムード一色に染まり、反体制派のデモは雲散霧消しました。それはアメリカとの戦争の緊張の中で1月8日に革命防衛隊が民間機を誤射によって撃墜し乗客176人（大半がイラン人）が死亡した事件に対する一部の抗議デモによっても再燃しませんでした。

詳しくは後に論じますが、欧米のイラン反体制運動報道は大きなバイアスがかかっており基本的に眉唾なので普段は真面目に相手しないのですが、今回は少し違います。というのは、現在アラブ世界で「第二のアラブの春」と言われる反体制運動の波が生じており、2019年にスーダンとアルジェリアで長期政権が崩壊し、レバノン、イラクでも大規模な反体制運動が生じており、特にレバノン、イラクではイランの影響下にあるシーア派勢力にも批判の矛先が向かっていたからです。もちろん、これらの国で反体制運動が発生した理由は国によって違い、たまたま同時期に発生した、といった方が実態に近い――「第一のアラブの春」はかなりの程度まで相互に影響しあっていましたが、「第二のアラブの春」はほとんど偶然に思えます――のですが、イランに対する批判に関しては、アラブのシーア派に対する過剰な資金援助に対するイランの国内での反発とイランの影響力に対するアラブの反発が連動しているのも確かであったため、一応検討が必要でした。

特に重要だったのがイラクでした。イラクでは2019年10月から全土で政府の腐敗に対するデモが起きており、批判はイランの影響にも及び、11月にはシーア派の聖地カルバラーとナジャフでイラン領事館が襲撃され、遂に12月1日には親イランのアブドゥルマフディー首相が辞任に追い込まれる事態にまで至っていました。ところが、ソレイマーニー殺害によって、イラクのシーア派の最高権威スィースターニー師がソレイマーニーに哀悼の意を表し、イラクのシーア派のウラマー（イスラーム学者）の中でも反イラン・アラブ・ナショナリストの急先鋒とみなされていたムクタダー・サドル師もすぐにイランに飛び葬儀に参列しました。私はスンナ派なので実感できませんが、シーア派にとって葬儀、特に殉教者の葬儀は極めて重要です。イスラームには聖職者はいませんがシーア派のイスラーム学者は、キリスト教や仏教などの聖職者に近い一つの社会階層をなしており、シーア派に関してはイスラーム学者を「俗人」から区別することにも意味があります。そこで本稿ではイスラーム学者には「師」をつけることにします。

イラン人のソレイマーニーだけでなく、同国人のアブー・マフディーも米軍に殺され、殉教者として葬られ追悼されたことで、イラクの反イラン運動は水を差されることになりました。特にトリッキーな動きで反イラン・アラブ・ナショナリストのシーア派の権威として求心力を誇ってきたムクタダー・サドル師は、反イランから反米にはっきりと舵を切りました。

更に2020年1月28日にトランプがホワイトハウスにイスラエルのナタニエフ首相を招いてパレスチナ人をあからさまに蔑ろにした中東和平の「世紀のディール」を提案したことで、アラブ世界での反イスラエル感情が高まり、トランプに忖度したサウジアラビア、UAEの権威が失墜したのに反比例し、反イスラエルの姿勢を貫きぶれないイランに対する評価が上がったことも、イランに対する鬱積する反感がアラブのシーア派の間でさえ表面化しつつあったイランにとって追い風となりました。

つまりソレイマーニー爆殺から中東和平の「世紀のディール」に至るトランプの中期的対中東政策は、「客観的には」イランを弱体化させるどころか、むしろ側面支援となったと考える方が妥当です。

アメリカの中東政策の誤り

先に述べたように、トランプがソレイマーニーの爆殺でイランとの戦争を望んでいなかったことは、選挙前から公言している彼の中東政策と爆殺の前後の発言と照らし合わせることで確認できます。しかしそれがイランに対する側面支援を意図したと考えることは、憶測にすぎず証拠を挙げることはできません。イランの政権を弱体化させようとしたのが判断を誤って裏目に出たとも考えられます。そして私の中東・イスラーム地域研究者としての40年の経験から言うと、アメリカの歴代政権の中東・イスラーム政策は殆ど誤った状況認識に基づいていたために結果的に裏目、裏目に出ており、特に対イラン政策はそうでした。トランプも、単にイラン、中東情勢を見誤っており、ソレイマーニーの爆殺によりイランの革命防衛隊が弱体化し、保守派がトランプの「本気」に震え上がり、イラン国内の反体制派、反イランのアラブ諸国が勢いづくと勘違いしていたと考える方が自然なように思えます。少なくとも、トランプの周りのポンペオ国務長官やエスパー国防長官、それにアメリカの国際問題、中東関係のシンクタンクなどはそう考えていたと思います。以下ではそう考える理由を説明していきましょう。

私はもうずいぶん昔になりますが、1992年から1994年まで在サウジアラビア日本国大使館で専門調査員として勤務し、外交官の真似事をしており、アメリカ大使館、イラン大使館などの外交団とも情報交換をしていました。当時は1991年の湾岸戦争の直後で、アメリカはサウジアラビアに約5000人の軍人を駐留させていました。またサウジの基幹産業石油産業の世界最大級の企業でもあるサウジARAMCO（Arabian American Oil Company）の人材の多くを供給していました。大使館自体が日本とアメリカでは規模が桁違いでしたが、それに加えて駐留米軍やARAMCOなどを有するアメリカと日本では情報量は二桁は違っていました。なによりもアメリカには日本にはほとんどいないアラブ系米国人が約300万人もいるのですから情報量では最初から勝負になりません。しかし情報量と情報収集能力は必ずしも比例しません。特に宗教、文化のような主観的な事柄に関しては、自分たちこそが人類が歴史の中で達成した世界最高の文化の持ち主だと思っているアメリカ人は、むしろ殆ど理解できない、というより自分の価値観と先入観で評価するだけでそもそも理解しようという気がありませんでした。

植民地になった経験のないサウジアラビアでは、敬虔なワッハーブ派宗徒はそもそもワッハーブ派のサウジ人以外とは交流しません。ましてや異教徒のアメリカ人とは近づきもしないのでアメリカ人が彼らの生の声を聴くことはありません。アメリカ人の耳に届くのは、西欧式の教育を受けて英語で欧米流の論理で話をする一部のサウジ人による耳触りの良い言葉だけです。アラブ諸国を捨ててアメリカに帰化したアラブ系米国人はなおさらです。そのようなインフォーマントから得られたバイアスのかかった情報は量が多ければ多いほど偏見を増幅、強化し、理解を深めるどころか、誤解を増やすだけでした。欧米諸国の中でも特にアメリカにその傾向が強いのは、世界最強の覇権国として、他国を理解しなくても圧倒的な武力により自己の意志を押し付けることができ、たとえ判断を誤り失敗を繰り返しても、他国を破綻国家にしていくだけで、自国には累が及ばないためです。だからこそ9・11同時多発攻撃でアメリカ本土を攻撃された時にあのようにパニックに陥り、それ以降、坂を転げ落ちるように自由の看板を下ろし、監視国家への道を突き進んでいったのです。後にイラクの移行政府の副首相になるアメリカで教育を受け実業家として成功した亡命イラク人アフマド・チェラビーによるサダム・フセインが大量破壊兵器を有しビン・ラーディンと共闘しているとの捏造情報にブッシュが騙されて利用されイラクに侵攻させられたのも、そうしたアメリカの情報分析能力の低さの例証です。トランプ政権は決して例外ではなく、ただその延長上にあるだけです。

アメリカと中東

もともとイギリスの植民地であり1783年に独立したばかりのアメリカは、中東・イスラーム地域に植民地を有さず、ヨーロッパ、ロシアのようなムスリムとの何世紀にもわたる敵対の厄介な歴史的問題を抱えていませんでした。アメリカはヨーロッパと違って歴史的にムスリム世界に恨まれる筋合いはなく、最近——といっても第二次世界大戦後のことですが——イランに「大悪魔」と呼ばれ、ビン・ラーディンらに「9・11」の標的にされたのは、イスラーム世界と西洋の文明論的対立などではなく、拙劣な外交のせいにすぎません。

第二次世界大戦末期まで、アメリカは西欧列強の勢力圏である遠い中東に関しては基本的に干渉しない政策をとっていましたが、1945年2月のフランクリン・ルーズベルト大統領とアブドゥルアズィーズ・サウジアラビア国王との会見以来、サウジアラビアを石油を供給する中東の最大の同盟国とみなしその利権確保を中東政策の基軸に据えました。第二次世界大戦が終ると1947年にアメリカはソ連の影響拡大を阻止する世界戦略「トルーマン・ドクトリン」を発表し、米ソが対立する冷戦が始まります。つまりサウジアラビアにおける石油利権、ナチスの迫害を逃れてヨーロッパからアメリカに移住したユダヤ人ロビーが支持する「欧米のユダヤ人の中東における植民地」としてのイスラエルを守るために、アメリカはこれまで第二次世界大戦前には積極的に関わってこなかった中東において、中東に対するソ連の影響の浸透を抑え込む政策を取ることになったわけです。

民族自決の原理に基づきアラブ国家としてのパレスチナの独立を求めるサウジアラビアをはじめとするアラブ産油国と、ユダヤ人の独立国家イスラエルの建国を求めるユダヤ人の対立する要求の間で、1948年のイスラエル独立宣言に際してアメリカがアラブ諸国が拒否したイスラエルの建国を最初に認める国に、ソ連が第二の承認国になりました。また、19

56年にエジプトのナセル大統領によるスエズ運河の国有化をきっかけにイスラエル、イギリス、フランスがエジプトに進攻したスエズ戦争が起きると、アメリカはソ連と共にエジプトの側に立ち、英仏、イスラエルを撤退に追い込みました。どちらの出来事も、中東におけるソ連との影響力獲得競争という文脈の中でのことでした。つまりスエズ戦争でアメリカがエジプトの側についたのは、第二次世界大戦後、ドイツが撤退した東欧を勢力圏に収めたソ連の影響が中東に及ぶのを恐れ、エジプトを懐柔しようとしたものでした。しかしスエズ戦争の勝利後、ナセルは逆にソ連との関係をますます強化することになり、イラクでもイギリスが擁立したハーシム家の王制が1958年にクーデターで倒され共和制が成立し、1963年にはアラブ社会主義のバアス党政権が誕生します。また1958年には北イエメンとフランスから独立したシリアがエジプトのナセルのリーダーシップの下にアラブ連合共和国を結成します。アラブ連合共和国は1961年に崩壊しますが、シリアはバアス党政権になり、北イエメンはエジプトの支援の下で王制が倒され共和制になりました。隣の南イエメンは1967年に人民民主主義共和国として独立し、ソ連の中東における橋頭堡になりました。全てを詳述する紙幅の余裕がないので端折りますが、北アフリカでも、チュニジア、リビアでは王制が倒され共和制が成立し、内戦の末にフランスからの独立を勝ち取ったアルジェリアも社会主義陣営に加わります。

こうしてアラブ世界は、ソ連の支援の下に王制の打倒を目指すアラブ社会主義共和制諸国

――実態は全体主義独裁制ですが――とアメリカの庇護下にある伝統的王制諸国――実態は民衆を抑圧する専制君主制諸国――に分裂することになり、アメリカはスエズ戦争以降は中東における唯一の真の西側の友邦――要するに欧米の植民地ということですが――イスラエルに一方的に肩入れすることになります。そして私見によれば、スエズ戦争において国際世論に配慮しイスラエルの無法を抑えたのを最後に、冷戦の論理に絡めとられ、イスラエルと石油利権を守るために中東の現実、国際法、人倫から目を逸らして非合理的な政策をアメリカは追求するようになります。

これ以降のアメリカの中東政策の柱は、西欧に残された最後の植民地として中東に打ち込まれた楔である唯一の友邦イスラエル、西側と東側の緩衝地帯、軍事同盟NATO（北大西洋条約機構）の東側に対峙する前線として唯一の非キリスト教国として組み込まれたトルコ、石油の供給基地としての（当時）世界最大の産油国サウジアラビア、そしてアメリカの代理人として軍事的にアラブ産油地帯に睨みを利かせた「ペルシャ湾の憲兵」パーレヴィー朝イランとなりました。このアメリカの中東政策の4本の柱、イスラエル、トルコ、サウジアラビア、イランは、いずれも大きな認知の歪みとその歪みがもたらす戦略的問題を抱えていたのですが、その中で最も早く破綻したのが、イランでした。というわけでやっと話は本題の米イラン関係に戻ります。

アメリカの冷戦期のイラン政策

アメリカの冷戦戦略の最初の大きな過ちがなされたのがイランでした。実はイランは第二次世界大戦中、当時の皇帝レザー・シャーが中立を宣言しながらもナチス・ドイツ寄りの政策を取ったため、１９４１年にイギリスとソ連の連合軍が侵攻し、レザー・シャーは退位させられ、息子のムハンマド・レザーが新皇帝に擁立され、北部がソ連、南部がイギリスに占領されました。大戦終了後、イギリス軍は撤退しましたが、ソ連軍は居残り、北部にクルド人とアゼリー人の傀儡ソビエト政権を立てました。これらの傀儡ソビエト政権はすぐに崩壊しますが、この事実は、イランが後の冷戦の原因となる共産主義と資本主義のイデオロギー闘争の中東における前線であったことを示しています。そしてそのために、イランで１９５１年に民主的選挙によって選ばれ絶大な人気を誇る民族主義的政治家であったモサデク首相がアングロ・イラニアン石油会社を接収し国有化した時、アメリカとイギリスはイランが共産化しソ連陣営に寝返ることになるのではと恐れ、ＣＩＡが主導した秘密工作によりクーデターによってモサデク政権を転覆させました。

モサデクの失脚後、ムハンマド・レザーが秘密警察ＳＡＶＡＫを背景に専制君主として強権的な支配を行うことになります。イランはイギリスの勢力圏でしたが、ムハンマド・レザーを軍事的に支援し、中東における欧米の利権を「ペルシャ湾の憲兵」に仕立て上げたのは、第二次世界大戦後、イギリスに替わって西側陣営の盟主となったアメリカでした。ＣＩＡが民主的選挙で成立したモサデク政権を転覆させ、イランの民主化を妨害したことは、後になってオルブライト国務長官、オバマ大統領も公式に認めています。ＣＩＡが秘密工作でモサデク政権を転覆させたことを道義的に責めようということではありません。アメリカは時流を見誤って権益を守ろうとして無理をした結果、権益を守るどころか大きな厄災を引き寄せることになった、ということです。

モサデクの石油国有化は、ナセルのスエズ国有化に5年も先立ちます。スエズ運河の国有化も後に資源ナショナリズムと呼ばれるものの一種でしたが、１９６２年には国際連合で「天然資源に対する恒久主権の権利」の宣言が出され、資源保有国の外国資本に対する優位が認められ、１９６７年にアルジェリアがアメリカのエッソ／モービル社を国有化したのを皮切りにアラブ諸国は軒並み外国の石油会社を国有化することになります。モサデクには先見の明があり、石油国有化は逆らうことのできない時代の流れとなったのでした。ところがアメリカは時流に逆らって、クーデター工作をしてまで石油国有化を阻止した結果、イラン国民の恨みをかい、革命で傀儡のムハンマド・レザーは追放されパーレヴィー朝は崩壊し、イスラーム共和国が成立したばかりか、テヘランのアメリカ大使館がイラン革命急進派の学生たちによって占領され、アメリカはイランと断交することになりました。

イギリスの石油利権を守るために、イランを外国資本による搾取から解放しようとの資源ナショナリズムを他の中東諸国に先駆けて掲げて国民の支持を得ていたモサデク政権を秘密工作で転覆させ、その後、ムハンマド・レザーの国民への搾取と弾圧、人権侵害に目をつぶって、軍事、経済、外交的支援を与え続け、イラク、アルジェリア、リビアなどのアラブ産油国を超えてソ連の影響がサウジアラビアとペルシャ湾岸の他の王制諸国に及ぶのを避けるために、イランを「ペルシャ湾岸の憲兵」に育てたアメリカでしたが、結局のところ他の湾岸産油国も石油を国有化することになり、イランとはそれらの産油国との通常の関係さえ維持することが出来ず、結果的にイランを中東における最大の敵に変えてしまったばかりでなく、アメリカの特別な友邦イスラエルにとってもアラブ諸国よりも危険な敵にしてしまったのです。

それだけではなく、そのイランのイスラーム政権と戦わせるためだけに、ナセルの死後、世界最悪の人権蹂躙の独裁政権の一つであったのみならず、アラブのソ連陣営であり反アラブ王制の急先鋒でもあったイラクを軍事的、経済的に支援し、中東随一の軍事国家にしてしまいました。その結果、対イラン戦争の戦後処理に不満なイラクが余勢をかってクウェイトに侵攻したことが世界を巻き込む湾岸戦争に発展し（1990－91年）、米軍がイスラームの「聖地」サウジアラビアに駐留することになったため、ソ連のアフガニスタン侵攻にあたってはCIAの支援の下でアラブのイスラーム主義者を結集して対ソ連ジハードを戦ったビン・ラーディンが反米ジハードに転じ、2001年のアメリカ同時多発攻撃事件「9・11」に至る負の連鎖が引き起こされました。

　後知恵と言われればそれまでですが、こうして回顧すると、アメリカの中東、イスラーム世界認識の拙劣さは明らかに思えます。繰り返しますが、道義的に非難しているのではありません。誤った中東認識に基づくアメリカの政策はことごとく予想に反してアメリカ自身の国益を損ない、その国力と威信を削ってきた、というのがここで言いたいことです。

アメリカとイラク政策

　話はまだ終わりません。やっと今回のテーマに直接つながるところまで来たところです。「9・11」でパニックに陥り、「テロとの戦争」を宣言したブッシュ大統領は、2003年3月に大量破壊兵器の保持と共にビン・ラーディンとの関係を口実にイラクに侵攻しサダム・フセイン政権を崩壊させました。後に大量破壊兵器もビン・ラーディンとの関係も虚偽であったことが明らかになっています。

　ブッシュがサダム・フセインを倒しさえすればイラクが親米の自由民主主義の国になると妄想していたことは既に述べましたが、それが妄想であることはまともな中東、イスラーム研究者であれば誰にでもわかっていることでした。というのは、サダム・フセイン政権崩壊後に自由民主主義を担う受け皿となる政治勢力がイラクには存在しなかったからです。サダム・フセイン政権は強権的独裁政権で反体制派の存在を一切許しませんでしたので、自由民主主義の受け皿が存在しなかったことはある意味では当然です。しかし問題は自由民主主義勢力が存在しなかったことではなく、自由民主主義ではない反体制政治勢力が、国内ではなく国外には存在したことです。それがシーア派法学の権威（マルジャア）ムハンマド・バーキル・サドル師の思想に基づくシーア派イスラーム主義組織ダウワ党とイラク・イスラーム革命最高評議会（2007年イラク・イスラーム最高評議会と改称）でした。ダウワ党は1957年に結党されましたが、イラン・イスラーム革命のイラクへの波及を恐れて1980年に禁止され、ムハンマド・バーキル・サドル師は処刑されました。ダウワ党の幹部の多くはイランに亡命しましたが、その一人であった高位法学者（アーヤトゥッラー）ムハンマド・バーキル・ハキーム師（2003年テロで爆死）がイランの支援の下に結成したのがイラク・イスラーム革命最高評議会でした。

つまり、イラクにはサダム・フセインとバアス党の追放後に政権の受け皿となりうる政治勢力は存在したけれど、それはアメリカ流の「自由民主主義」とは真っ向から対立するシーア派のイスラーム主義政党であり、しかもそれはアメリカの不倶戴天の仇であるイラン国内でイラン・イラク戦争でもイラン側について戦い、長年にわたってイスラーム学の研鑽を積み政治・軍事的経験を重ねた熟練のシーア派の宗教政治家たちだった、ということです。

簡単に言えば、アメリカのご都合主義の紛い物の「親米自由民主主義」の押し付けと、子飼いの親米利権屋たちへの金のばら撒きが、イラクの破綻国家化の原因です。「民主主義」について、人権、平等、自由など、いろいろ余計なものを付け加えたがる者がいますが、すべては利害関心によって歪曲されたイデオロギー的粉飾に過ぎず、「民主主義」の本質は多数派の支配、その制度的保証は完全秘密投票による多数決であり、それ以上でも以下でもありません。勿論、「民主主義者」だけの閉じられたサークルでは、各自がそれぞれの「私の民主主義」の理想を語るのは自由ですが、異なる価値観を有する様々な文明圏の研究者の間の「客観的」「価値中立的」な社会学的分析では、そういう夢物語は、話を混乱させるだけで有害無益です。イラクを真に「民主化」するには、イラクで多数を占めるシーア派が「自由」に選んだ政府を作るしかありません。そして米軍のイラク占領以来、現在に至るまで、政治的移行期や危機の節目節目でその発言が注目されるイラクの国民の間で最も影響力のある人物がイラクのシーア派法学者の最高権威（マルジャア）スィースターニー師であることは、イラク・ウオッチャーの間では常識となっています。ですからイラクの民主化を本当に望むなら、イラクの多数派のシーア派が最高権威と仰ぎ、シーア派党派色が薄いためスンナ派からも頼りにされているスィースターニー師の指導の下に纏まる政体を考えるべきです。

イラン革命の西欧の社会科学への影響

現在のイラクの政体は、アメリカが軍事占領下で押し付けた西欧流の領域国民国家です。国や政治のあり方が領域国民国家でしかありえない、との先入観を捨てないと、中東、イスラーム世界は理解できません。イラクで最も影響力がある人物でありながら、スィースターニー師はいかなる公職にもついていません。彼の権威は、大統領や首相、最高裁長官、国会議長、あるいは国防大臣、参謀長官のような一切の制度的権力とは無縁です。これは、イラン革命の初期の故ホメイニー師を思い起こさせます。当時パリに亡命していた無位無官の一介の宗教者の言葉によって、数百万人を超す民衆が、残虐な専制君主の弾圧を恐れずイラン全土でデモに繰り出す姿が世界中にテレビで放映されました。

イラン革命は私だけでなく、世界の宗教研究、地域研究のパラダイムシフトをもたらしました。イラン革命以前には「上部構造」は「下部構造」経済に規定されるとの「科学的社会主義」が最新の流行で、政治、社会、文化のような上部構造は表層であり、表層の動きはその深層にある経済という下部構造の分析によって理解できる、と考えられており、マルクスが「大衆のアヘン」と呼んだ「宗教」は上部構想の中でも最表層であり時代遅れの遺制と軽視されていました。転機となったのがイラン革命で、イスラームを中心に宗教が政治に及ぼす影響が見直されるようになりました。私たちイスラーム研究者も、イスラームには経済に還元できない自律性がある、と言ってきましたが、いつの間にか、振り子の針が逆に振れすぎたように思います。特にS・ハンチントンの『文明の衝突』以来、「テロ」、戦争、難民などすべての問題がイスラームによって「説明」されるようになってしまいました。私はイスラームには経済などの下部構造に規定されない自律性があるとは思いますが、戦争などの社会、政治問題の多くはイスラーム的装いをまとっただけで、真の原因は経済問題であると思っています。

シーア派政治論

残念ながら古典から現代までレベルはともかく量はそれなりにあるスンナ派政治思想研究に比べて、シーア派の政治思想の研究は世界的にも遅れており、ヨーロッパ語でも概説書はあまり評判のよくない *Sachedina* の *The Just Ruler in Shi'ite Islam* (1988) ぐらいしかなく、日本語では全くありません。ですので、取りあえず最低限、拙著『イスラーム学』(作品社、2020年) の19節「ムフスィン・キャディーヴァルのシーア派国家類型学」の「2．シーア派法学の国家論の発展史、3．国家類型論」(362–374頁)、特にスィースターニー師のようなイラクの法学者の言動の理解に関しては国家の第6類型の「マルジャア監督人民ヒラーファ(カリフ制)」に関する議論(370–372頁)をお読みください。私自身は、スィースターニー師の立場は、「法学者の統治」とは違って法学者は政治に直接関わらず要所要所で大所高所からの助言を与える存在となるべきとの故モンタゼリー師の「法学者の監督(ナザーラ)」論に近いものだと考えています。

現在の無位無官のスィースターニー師の姿が革命初期のホメイニー師を思い起こさせる、と書きましたが、同じイランの最高指導者であっても、現最高指導者のハーメネイー師とはその性格が全く違います。ホメイニー師はイスラーム共和国が成立し最高指導者になる前から大法学者として押しも押されもしないマルジャアであり、最高指導者になってからも、国家を超越した存在であり、こまごました政務には関わってはいませんでした。一方、ハーメネイー師は、法学者としての格は低く、１９８１年から１９８９年まで現在ローハーニー師が務めている大統領職にありました。ところがホメイニー師の後継者に指名されていた大法学者のモンタゼリー師が政治路線の対立から解任されたため、急遽大統領のハーメネイー師が最高指導者に任命されたのでした。つまりハーメネイー師が瑣事に至るまで何事も自分で処理しているのは大統領時代の習性からであり、表面的に独裁者に映ったとしても、それは政治学的な意味での独裁ではなく、いわば「偶然的」なものだと私は考えています。

ハーメネイー師とスィースターニー師

というのは現在のイランのイスラーム学界では、キャディーヴァル師が言うところの「イスラーム法学者の無条件の親任ウィラーヤ（統治）」説が通説なのですが、ハーメネイー師は人民主権をその統治論に組み込んでおり、欧米のイスラーム地域研究やメディアによる保守派との評価とは違い、むしろ改革派寄りの中道派だからです。詳しくは拙稿『イスラーム学』18節「法学者の統帥権と人民主権――ハーメネイー師のイスラーム国家論を中心に」（３４８－３５９頁）をお読みいただきたいと思います。

驚くべきことに、『イスラームにおける国家（Hukūmat dar Islām）』（全2巻、1986年）はイランの最高指導者ハーメネイー師によるシーア派イスラーム国家論の主著であり、シーア派のみならずスンナ派を含めた現代のイスラーム政治論の作品の中でも極めて重要な著作でありながら、欧米の研究書では一切取り上げられていません。先にアメリカの中東、イスラーム地域研究において、アメリカに帰化した欧化主義者のアラブ人のインフォーマントの存在が、対象の理解の助けになるよりもかえって偏見と誤解を増幅し正しい認識を歪めていると言いましたが、イラン革命でイランを追われ敵国アメリカに亡命したイラン人たちはそれよりも更に悪質で、アメリカの政府に食い込み、40年にわたってイランのイスラーム体制がすぐにも崩壊する、と言い続け、アメリカの対イラン政策を誤らせ続けてきました。しかしイラン革命以来40年にわたってイランを見てきた者としては、オオカミ少年たちの言葉を信ずる気にはなれません。革命初期のラジャイ大統領、バーホナル首相、ベヘシュティ最高裁長官ら多くの革命指導者がモジャーヒディーネ・ハルクらの「テロ組織」に暗殺された反体制派による悲惨な「テロ」の連鎖、アメリカ大使館襲撃事件によるアメリカとの断交、75万人の犠牲者を出した湾岸産油国やエジプトなどのアラブ諸国に支援されたイラクのサダム・フセイン政権との戦争（イラン・イラク戦争：1980－1988年）などのこれまでイラン革命が乗り越えてきた内政と外交の大変な諸問題に比べれば、現在のアメリカの経済制裁や外交的圧力、国内の反体制勢力のデモなど取るに足りない些末事としか思えません。

ハーメネイー師自身、右手が不自由なのは1980年の爆弾「テロ」で負傷したことが原因です。革命を知らない若い世代は「真剣に反体制運動をしている」つもりでしょうが、革命とイラン・イラク戦争の修羅場を生き抜いてきたハーメネイー師ら政府の指導部は彼らを西欧のプロパガンダに躍らされている愚かな一握りの跳ね上がりの不満分子ぐらいにしか思っていないでしょう。勿論時代は変わっており、彼ら旧世代の革命指導部の現状認識が必ずしも正しい、とは言いきれませんが。

ソレイマーニー

最後にソレイマーニーの話に戻りましょう。日本ではソレイマーニー爆殺は、「イランの国民的英雄を不法に殺害した暴挙」と「何万人もの無辜の民を殺した国際テロリストを処刑した快挙」の両極端に評価が分かれていますが、どちらも的外れです。

どんな人間であれ、一行の言葉で過不足なく記述し尽くすのは無理、といった一般論ではありません。そのためには、まずイランが革命国家であることを再確認しておく必要があります。イラン革命は20世紀最大の民衆革命でした。ロシア（十月）革命、中国（共産主義）革命は、単なる政権の交替ではなく、社会経済の構造的変革のプログラムを持ち実際に実行した、という意味では紛れもなく革命でしたが、その方法は、民衆の自発的な蜂起によるものではなく、ロシア革命は第一次世界大戦、中国革命は満州事変のどさくさに紛れて、「職業革命家」の武装組織が扇動したクーデターに近いものでした。数百万の非武装の民衆が街に出て非暴力でパーレヴィー帝政を倒したイラン革命はむしろイギリス革命、フランス革命とも比べうる「市民革命」でした。

革命の常として、後に反体制派の処刑などが続いたため、革命で処刑された者の縁者や海外に亡命した者たちが反革命なのは当然です。彼らが亡命先でイラン・イスラーム共和国に対するネガティブ・キャンペーンを行っていることは、アメリカを例にとって既に述べました。

国内に残った者で革命に幻滅した者が多いのも事実です。イラン革命が真の民衆革命であったことと表裏一体でもありますが、革命に加わった者が多様で呉越同舟同床異夢であったため、革命で追放され亡命した親米王党派のみならず、革命に参加した左派ムジャーヒディーン・ハルクなども反イスラーム共和国に転じています。ムジャーヒディーン・ハルクはイラン国内で要人暗殺などの反体制「テロ」を繰り返しただけでなく、イラン・イラク戦争でサダム・フセイン政権に味方しイランと戦ったため国内的支持をほぼ失いましたが、米軍の攻撃によってフセイン政権が崩壊し「テロ」活動の拠点を奪われ、現在では欧米で革命初期の亡命者たちと共に反イスラーム共和国プロパガンダを繰り広げています。

繰り返しますが、欧米のイランに関する情報は、こうした反体制派の動きを針小棒大に誇張して伝えて体制への支持を全て独裁政権のプロパガンダとして否定する反イスラーム共和国プロパガンダに40年にわたって騙され続けてきました。革命防衛隊やソレイマーニーを抑圧の象徴として嫌うイラン人が一定数いることは紛れもない事実ですが、その数も力も極めて限定的なものです。またアラブ地域、スンナ派イスラームの研究者はイラン・シーア派の理解がなく、アラブの世俗独裁政権、専制王政との類推で考える過ちを犯しがちです。

たとえば革命防衛隊ゴドス部隊はシリアに深くコミットしていますが、彼らの主目的はアサド政権を守ることではなく、イスラーム国が目の敵とするシーア派の「聖地」ダマスカスのザイナブ廟などをイスラーム国から守ることでした。シリアでは約30万人の反政府シリア国民が殺されていますが、その大部分はアサド政権とロシアによるもので、ゴドス部隊は無関係です。またイラクでもシーア派を不倶戴天の仇とみなすイスラーム国との戦いにゴドス部隊も参加していますが、イラク政府軍やイラクの他の民兵組織に比べて特に残虐であったり特別な「テロ」行為を行っているわけではありません。

そしてなによりもアラブ、スンナ派研究者から見ると不思議に思えるのは、ソレイマーニーが国民的「ヒーロー」というよりも、ソレイマーニーの写真入りの子供たちの文房具が売られているような「アイドル」的存在だった、ということです。日本を含む西側の報道では無理やりシリアの戦場に送り込まれているなどとしか書かれていないアフガニスタンのハザラ人の学徒たちもソレイマーニーの爆殺のニュースに学寮内で泣き崩れていたと、私もコムのイスラーム学徒から聞かされました。こうした敬虔な信徒たちがソレイマーニーの葬儀のためにイラン各地で数百万人集まったのです。

結語

革命防衛隊はイスラーム共和国が出来た時に、革命の理念を守るためにイスラーム法学者直属の組織として国軍とは別に設立された武装組織であり、予備役も含めると約50万人と言われます。この革命防衛隊の50万人がイスラーム共和国を護るために武装して正規戦を戦いうるコアな支持者だとすると、ソレイマーニーの葬儀の参列者の数がイラン革命の理念の積極的な支持者の規模をほぼ表していると考えることができます。勿論、それでも人口8000万人の国民の10％にも達しませんが、これは1979年にパーレヴィー朝の正規軍に立ち向かって革命を成し遂げた民衆の数とほぼ同じです。非武装の数百万人の革命の理念に忠実な支持者があれば強大な専制帝政さえ倒せたことを考えれば、反乱に際して軍が中立を保つとしても、数百万の市民の支持者に加えて反体制派を圧殺することを躊躇わない革命の理念に忠実な50万の武装組織（革命防衛隊）を有するイランの現体制を、反体制デモにさえ多めに見積もっても数十万人しか動員できない国内の反体制派が自力で打倒することが不可能なことは容易に理解できるでしょう。

アメリカ軍の侵攻でサダム・フセイン政権が倒れた時も、アラブの春でチュニジア、エジプト、リビア、イエメンの政府が倒れた時も、それまで数十年にわたって軍と警察の恐怖（テロ）を背景に国民を弾圧してきた独裁政権でしたが、独裁者を助けて身命を賭して戦おうという者も、独裁者に殉ずる者も殆どいませんでした。それはソ連が崩壊した時に、70年にわたって国民の身体と精神を全体主義的に支配してきたはずの共産党があっと言う間に雲散霧消したのと似ています。

現在、ムスリム世界、スンナ派世界には、イスラームに立脚した国家は一つもなく、軍と警察の力で民衆を抑圧する強権国家しかなく、命を捧げて守るべき理念もなければ、利害打算で結びついた支配階層の取り巻き以外に身命を賭して政権を守ろうとする者もいません。国内に強権体制に抵抗する一定数の反体制派が存在し、超大国アメリカとその盟友イスラエルと裕福な湾岸諸国を敵にまわしながら、一向に倒れる気配を見せないイランが、アラブ、イスラーム地域研究者には分かりにくいのはそのためです。つまり反体制派よりも遥かに多い体制の理念を心から信じる熱狂的な体制の支持者が存在する、という状況がアラブでは見ることができないからです。

私は現時点ではイランのイスラーム体制の崩壊の可能性は低いと思っていますが、もしイランが破綻国家化すればヨーロッパに破壊的な影響を与えることになるでしょう。イランは地理的には中央アジアでむしろアフガニスタンと近く地中海のシリアとは違う、と思われるかもしれませんが、そうではありません。というのは、イランの破綻国家化は予想不能でコントロールのできない影響を周辺諸国に与えますが、まず確実なのは、中東のパワーバランスが大きく変わり、隣国のトルコで政変が起こり大混乱に陥り、下手をするとトルコも連鎖的に破綻国家化しかねない、ということです。人口の規模と国力からイランと同規模かそれ以上のヨーロッパの陸続きの国トルコが混乱に陥ると、イランからだけでなく、トルコからも、合わせて何百万から千数百万人規模の難民がヨーロッパに押し寄せることになります。

なぜイランの現体制が崩壊すれば、連鎖的にトルコに政変が起こるのかの理路は、今回はとても話しきれませんが、機会があればお話ししたいと思います。

書簡B

イランとアメリカの「不都合な現実」

飯山陽

テロ支援か、抵抗運動か

2020年2月13日は、イランのイスラム革命防衛隊コッズ部隊のソレイマニ司令官が米軍によって殺害されてから40日の記念日でした。イラン国内では追悼式典が開催され、革命防衛隊のサラミ司令官はアメリカとイスラエルが少しでも間違いを犯せば攻撃すると演説し、その様子はイラン国営テレビで生中継されました。

レバノンではイスラエルとの国境で、エルサレムの方向を指差しパレスチナの旗を背にしたソレイマニ像がお披露目されました。その前の週、イランの最高指導者ハメネイ師は、パレスチナの武装組織をできる限り支援すると表明しました。これらの事象は、イランがどのような国で中東地域にどのような影響力を持っているかを示しています。

イランは、中東から地中海にかけて「シーア派の弧」を形成し覇権を握ることを目指しています。そのために各地の武装勢力に資金や武器を提供し、イランの「代理勢力」化して影響力を強化してきました。この作戦の参謀だったのがソレイマニです。ソレイマニの死後、革命防衛隊はレバノンのヒズボラ、パレスチナのハマス、イラクの人民防衛隊、イエメンのアンサールッラー、アフガニスタンのファーティミユーン、パキスタンのゼイナビユーンといった武装勢力の旗をバックに会見を行い、これらがイランの代理勢力であることを初めて公式に認めました。

レバノンにイランの軍人であるソレイマニ像が建立されたのは、現在実質的にレバノンの政権を握っているのがイランの代理組織ヒズボラだからです。ハメネイ師がパレスチナ武装勢力の支持を公式宣言したのも、パレスチナのハマスやイスラミック・ジハードがイランの代理勢力だからです。

ヒズボラやハマスは、日本を含む世界各国がテロ組織指定しているイスラム武装組織です。ソレイマニの死を経て、イランはそれらとの関係をもはや隠さなくなりました。アメリカがイランを「世界最大のテロ支援国家」と呼ぶのには、こうした背景があります。一方イランの側は、これは「テロ支援」ではなくアメリカやイスラエルといった「帝国主義国家の抑圧」に対する「抵抗運動」なのだと主張し、正当化しています。これは１９７９年のイラン革命以来一貫したイランの論理です。

つまりアメリカとイランの問題は、アメリカの側に立ってイランをテロ支援国家と認識するか、あるいはイランの側に立ってアメリカを帝国主義の抑圧国家と認識するかによって、全く見え方が異なってくるのです。

ソレイマニ殺害について中東イスラム研究の「専門家」が述べた見解は、彼らのほとんどが後者の立場をとっていることを示唆していました。

中東イスラム専門家たちの見解

東京外国語大学教授でイラン研究が専門の松永泰行氏は2020年1月3日の朝日新聞記事に、「殺害されたソレイマニ司令官は、部下が負傷すれば病院に駆けつけ、亡くなれば実家に駆けつけて家族とともに泣く、浪花節的な人物だった」というコメントを寄せました。

慶應義塾大学教授で同じくイラン研究が専門の田中浩一郎氏は同日NHKで、「(ソレイマニは)イラン国内では自分たちの国を過激派組織ISやアルカイダなどテロ組織から守ってきた英雄として扱われている。イラン国民から見ると自分たちを守ってきた人をアメリカが殺したことになる」「力で物事を理解させようというトランプ政権の対応そのものがあらわれた。中東にある爆弾の導火線にアメリカが火をつけた格好になった」と解説しました。

田中氏は1月5日のTBSサンデーモーニングでは、「アメリカはソレイマニ司令官に度々助けられてきた。軍事的に。（略）しかしＩＳがほとんど脅威でなくなったら、いきなりご用済みにしちゃった、というわけなんです」と解説しました。この解説は、アルカイダ創設者ウサマ・ビンラディンがかつてアメリカについて、「アフガニスタンでジハード戦士を使い捨てにした」と非難したことと重なります。

東京大学名誉教授で日本の中東イスラム研究の礎を築いた文化功労者の板垣雄三氏は１月９日北海道新聞に、「米国が今回取った戦争への第一歩は、大国としての米国の凋落を改めて浮かび上がらせた」「そもそもトランプ政権は国家としての体を成していない」「欧米がイランに対して行ってきた支配・圧迫の歴史に対する民族的な抵抗の意味を決して見落としてはならない」などと寄稿しました。

「イラン擁護／アメリカ批判」は中東研究者だけにとどまりません。

北海道大学大学院教授で国際政治学者の鈴木一人氏は１月４日の朝日新聞ＧＬＯＢＥでソレイマニを「国民的な英雄であり、『アイドル』とも言って良い存在」「中東における武装組織の指揮官としてはおそらく最も優秀で、輝かしい戦績を誇る人物」と高く評価し、トランプ大統領がソレイマニ殺害を実行した理由については、「『オバマには出来ないことを自分は実現した』という姿を見せたいという思いもあったのだろう」「（弾劾の）問題から国民の目をそらす必要があると考えた可能性もある」など、個人的な理由だと解説しました。

１月５日放送のＴＢＳサンデーモーニングでは評論家の寺島実郎氏が「アメリカはいつも

敵の敵は味方とし、利用したら捨てる」「イランは第二のベトナムみたいなことになりかねない」、法政大学総長の田中優子氏が「大統領選のために中東を利用しているんじゃないか。冷戦後、常に中東で敵を作り続けている」「軍産複合体がより富を蓄積しているんじゃないかと勘ぐってしまいます」「戦争を利用しながら権力を蓄えていくっていうアメリカの像が浮かび上がってきます」などと、それぞれアメリカを非難しました。

それでは理解は深まらない

「専門家」や文化人たちが「イラン擁護／アメリカ批判」で一致している理由については、憶測することしかできません。しかしそれによって生まれる効果については指摘することができます。

第一に、メディアを通してイランは悪くない、とにかくアメリカが悪い、トランプ政権が悪いという印象を日本の一般市民に与えることができます。

第二に、アメリカとイランの対立という問題の論点を「どちらが悪いのか」という問題にすりかえ、「アメリカが悪い」と主張することにより、イランという国の実態やソレイマニの実像を隠蔽することができます。ソレイマニは市民にとっては独裁と抑圧の象徴だという側面もある、という点は指摘されませんでした（ソレイマニの実像についてはアゴラ、文春オンライン、およびニューズウィークに寄稿しました[*11]）。

このふたつは、日本と日本人に著しい不利益をもたらします。これでは日本の一般市民は、アメリカとイランの問題について理解したいと思ってテレビを見たり新聞を読んだりしても、「イランは悪くない」「アメリカが悪い」という主張を押し付けられるだけで、客観的な事実や状況に対する理解は全く深まりません。

「アメリカが悪い」という自分の「気持ち」を優先させ、「専門家」という権威によってその「気持ち」をあたかも客観的分析であるかのように開陳するのは、一般市民に対する詐術に等しく、研究者としてあるまじき姿勢です。一般の日本人は「専門家」がイランとアメリカのどちらが「好き」なのか知りたいわけでも、イランとアメリカのどちらが悪いのか判断してほしいわけでもありません。

野党の政権批判の道具にも

さらに「専門家」の「イラン擁護／アメリカ批判」は、野党による政権批判にも利用されています。

立憲民主党の枝野代表は1月4日の会見で、「アメリカによるイラン司令官の殺害は、中東地域における緊張を極度に高めていると非常に危惧している。そもそもこの行為が国際法上正当化出来るのかどうかについて疑問があるし、中東の安定を損なうリスクが非常に高いという意味で、我が国にとっても軽視出来ない」「そんな状況の中東地域に、自衛隊を国会の審議もなく調査という目的で送り出す。自衛官の安全を含めて、大変由々しき事態だ」と述べました。

社民党は1月4日トランプ大統領に抗議するという声明を出し、福島みずほ氏は5日「中東に自衛隊を派遣しないよう全力を尽くします」とツイートしました。

共産党の志位委員長は1月4日「主権国家の要人を『空爆』して殺害する権利は、どの国にも与えられていません」とツイートし、6日には共産党が「トランプ政権の無法な軍事力行使を非難し、外交的解決の道に立ち戻ることを求める」声明を出しました。

野党各位は共に、アメリカを批判することで日米同盟を外交主軸とする政権与党を批判しています。「専門家」の「イラン擁護／アメリカ批判」には、日本における体制批判のプロパガンダとしての効果があるのです。

既出の北海道新聞への寄稿文の中で板垣氏は次のようにも記しています。

このような状況下で海上自衛隊の艦船を中東へ派遣することは、あまりにも状況認識を

＊11　http://agora-web.jp/archives/2043700.html
https://bunshun.jp/articles/-/25001
https://www.newsweekjapan.jp/iiyama/2020/01/post-2.php

誤っていると言わざるを得ない。本来なら和解を促す使節団を関係国に派遣すべきではないか。それができない平和国家・日本も凋落の危機にある。（北海道新聞2020年2月9日）

しかし中東への自衛隊派遣については、この時点でイランからすでに理解を得ていただけでなく、サウジアラビア、アラブ首長国連邦、オマーンも地域の安全に寄与するものとして支持を表明しています。板垣氏の認識、見立ては誤っているのです。

一般の日本人に客観的な事実を解説するかわりに「アメリカが悪い」という価値観を一方的に吹き込み、誤った認識のもとに戦争の危機を煽り立てて一般市民に恐怖感を与え、野党の政権批判に寄与する。これが、ソレイマニ殺害を巡る報道を通して明らかになった「専門家」の主張の特徴です。

揺れるイランの国内情勢

ソレイマニの死後も、イランでは様々なことが起こりました。

1月7日にはケルマン州で行われたソレイマニの葬儀で参列者が将棋倒しになり50人以上が死亡しました。これについてイランのザリーフ外相は「これは人々がいかに彼（ソレイマニ）を愛していたかの証であり、かつアメリカの政策がいかに誤っているかのシグナルだ」

と語りました。

１９７９年にイスラム革命によってイラン・イスラム共和国となって以来、イランは一貫して明白な反米国家です。国民には子供の頃から「アメリカは大悪魔」だと教え、金曜礼拝後や公共の集いの際には「アメリカに死を！」というシュプレヒコールが唱えられ、アメリカ国旗が燃やされます。

１月８日には革命防衛隊がミサイル誤射によってウクライナの旅客機を撃墜し、１７６人が死亡しました。当初撃墜の事実を隠したイラン当局は一転してそれを認めた後、死者を「殉教者」と呼ぶ一方、犠牲者の葬儀を行なうことを禁止し、当局の対応を批判した遺族を「公務員を侮辱した」として拘束しました。カナダ在住の犠牲者の遺族の一人はカナダのＣＢＳニュースに出演し、「妻を殺しておいて殉教者と呼び、遺族に対して喜べと言う。最悪だ」と怒りをあらわにしました。

１月11日からは、イラン各地でウクライナ機撃墜に抗議し「独裁者に死を！」などと叫ぶデモが発生しました。デモ隊が体制打倒のスローガンを叫び、ハメネイ師やソレイマニのポスターを破ったり燃やしたりする映像とともに、革命防衛隊下部組織メンバーがナイフでデモ隊に斬りつけたりバイクでデモ隊に突っ込む映像もＳＮＳで広まりました。

２月13日には21日の選挙を前に、イランの監督者評議会が議員選挙に立候補を届け出た「穏健派」候補者６８５０人を失格にしたとロイター通信が伝えました。人権活動家のマシフ・

アリネジャド氏はＡＦＰに対し「あらかじめ選別された候補者の中に穏健派も反体制派もいない」と述べ、選挙が出来レースであることを批判、他方ハメネイ師は「投票は宗教的義務だ」と国民に通達しました。

2月19日には２０１８年2月にアメリカのスパイ容疑で革命防衛隊に拘束された元国連環境コンサルタントの女性科学者ニルファル・バヤニ氏ら環境活動家８人に対し、禁錮４年から10年の判決が下されました。バヤニ氏は取調官から性的虐待や拷問を受けていると外部に訴え続けてきましたが、イランの体制はこれを黙殺しました。

2月21日にはサウジがイエメンの首都サヌアから撃ち込まれたミサイルを迎撃したと発表しました。迎撃したのはヤンブー工業地帯上空で、ジッダの日本国総領事館は「ヤンブーで操業中の日系企業からの連絡によれば、21日夜半過ぎに、迎撃されたミサイルの破片と思われる小物体2個が、工場建屋の屋根を破って作業場に落下した」と発表しました。

サヌアは現在、イランの代理組織であるアンサールッラーという武装組織を擁するフーシー族が支配しています。米軍は昨年11月25日と今年2月9日の二回にわたって湾岸で拿捕した国籍不明船にイラン製のミサイルなどが大量に積まれており、イランからイエメンに密輸される武器だった可能性が非常に高いと発表しました。フーシー族は様々な制裁対象とされており、武器供与も国連安保理決議で禁じられていますが、イランだけでなく北朝鮮もフーシー族に武器供与をしていると２０１８年の国連報告書が指摘しています。イランや北朝鮮からフーシー族に供与された武器は、サウジで操業する日本企業の脅威にもなっているのです。

イランの経済情勢は、アメリカの制裁強化により悪化の一途を辿っています。しかしその一方で、アメリカのシンクタンク民主主義防衛財団（ＦＤＤ）の２０１８年のリポートによると、イランは毎年１６０億ドル以上の資金を海外の武装組織に提供しています。

抑圧される反体制派

イランで頻発するデモでは、人々が「シリアではなく我々のことを考えろ！」「ガザやレバノンはもうたくさん、私の人生はイランにある！」などと口々に叫んでいます。２０１９年11月に発生したイラン建国以来最大規模とされる反体制デモでは、わずか2週間で参加者１５００人以上が革命防衛隊など体制側によって殺害されたとロイター通信が報道、アメリカのイラン担当特別代表フック氏も１０００人以上が殺されたと述べ、国連人権高等弁務官バチェレ氏はイランの治安部隊が非武装の市民を銃撃する「検証済みのビデオ映像」があると証言しました。

２月22日にはコロナウイルス感染者6人の死亡と、約８００人に感染の症状が出ていることが当局から発表されました。感染蔓延の噂は発表前から広まっていましたが、２月11日はイランの革命記念日、21日は選挙でした。

２月24日にはコムの議員が政府はコロナの実態について嘘をついている、コムだけで死者はすでに50人に達したと告発、ＩＬＮＡ通信はイラン保健省の「対策をとるのが遅すぎた」というコメントを伝え、25日には保健副大臣の感染が発表されました。

レバノン、バーレーン、クウェート、イラクなど中東諸国ではイランから帰国した人に次々とコロナ感染が確認され、ＷＨＯやアメリカもイラン当局がコロナの実態を隠蔽している可能性に懸念を表明しましたが、ロウハニ大統領は「すべて平常通り。何も問題はない」と強調した上で、イランに問題があるかのような報道は全て「敵の陰謀」だと述べ、ハメネイ師は「敵のプロパガンダ」を非難しました。

3月3日にはイランの革命防衛隊司令官が「コロナはイランと中国を標的にした生物兵器だ」と発言、一方中国はイランに自国民を救出するためのチャーター機を出し、ワシントンポストは中国にかわってイランが感染拡大の拠点となる可能性がある、イランは中国のように封じ込めができておらずリソースも不十分なのでより危険だと報じました。

イランから亡命しドイツで受け入れられたイラン人女性初のオリンピック・メダリストであるテコンドーのキミア・アリザデ選手は1月13日、イランの体制を偽善、嘘、不正と批判し、「私はイランで抑圧されている多数の女性のうちの一人」と告発しました。

２００９年にイスラム教からキリスト教に改宗し棄教や国家への反逆、冒瀆などの罪で死刑判決を受けた後、国際的圧力などで釈放され現在はアメリカで暮らすマルヤム・ロスタンプル氏は2月11日のインタビューで、「イランで抑圧されているのは私たちのような宗教的マイノリティだけではない。全市民だ」と述べました。

2003年にノーベル平和賞を受賞した人権活動家のシリン・エバディ氏は2月25日ワシントンポストに寄稿し、「私たちは理想的な社会の実現を目指してイラン革命を支持した。ホメイニ師が嘘をつくとは考えもしなかった。だが私たちは間違っていた」と若い世代のイラン人に向けて懺悔しました。

問われる「専門家」の存在意義

イランは帝国主義アメリカに抑圧された被抑圧者だ、だからイランは被抑圧者の仲間と連帯しアメリカとイスラエルに「抵抗」する権利があるのだ、というのがイランの体制の主張です。

しかしそこには、被抑圧者であるはずのイランの体制自体が、イランの人々を抑圧し、中東各国のテロ組織に武器と資金を提供して内部からの侵略工作を進め、地域全体の治安を脅かし、内戦を激化させて多くの市民を犠牲にしているという「現実」があります。

イランの体制に寄り添い断固としてイラン擁護を続ける日本の中東イスラム研究者は、そうした「不都合な現実」からは目を背けます。現実から目を背ける研究者が現実の客観的分析を行なえるはずはなく、現実が分析できない研究者に先の見通しを立てる能力があるはずがありません。

いったい日本の中東イスラム研究者というのは、何のために存在しているのでしょうか？　人権抑圧の独裁国家を擁護し、アメリカと日本の政権を批判するために存在しているのでしょうか？　個人がどのような政治的主張を持とうと、それは自由です。しかし学問を政治活動の道具にしたり、「専門家」という立場を利用して政治的主張を学術的裏付けのある客観的主張であるかのように粉飾したりするのは卑怯です。

グローバル化が進み、国際情勢が日本の一般市民の生活にも直接的影響を与える今の時代は、インターネットの普及で情報多元化も進み、イデオロギーを吹聴するプロパガンダのための中東イスラム研究が百害あって一利なしであることが市民の目にも明らかになりつつあります。研究者自身がその姿勢を改めない限り、社会における彼らの価値は限りなく低下し続けることでしょう。

第八書簡

コロナウイルス禍がもたらしたもの

書簡A

コロナウイルスとイスラム世界

飯山陽

ウイルスとの「戦争」

米軍空爆によるイラン革命防衛隊ソレイマニ司令官殺害とそれに伴う中東の不安定化で幕を開けた２０２０年。続けて世界を襲ったのは、新型コロナウイルスでした。

２０１９年12月に中国の湖北省武漢で最初の症例が確認されて以降、コロナウイルス感染は瞬く間に世界中に拡大し、２０２０年3月11日にはＷＨＯのテドロス事務局長がパンデミック（世界的大流行）を宣言しました。多くの国々で学校を含む様々な施設が閉鎖され、人々の移動が制限され、国境が封鎖され、出入国が制限され、航空便の往来が停止されるといった強行措置がとられました。

国を挙げてコロナウイルス封じ込めに取り組まざるをえない現状を、アメリカのトランプ大統領やフランスのマクロン大統領は「戦争」と呼びました。コロナウイルスは既に、第二次世界大戦以降最大にして最悪の世界規模の災厄だと言われ始めています。このウイルスとの「戦争」は数年続くとも予測され、人類は新しい生き方、考え方、暮らし方、働き方、学び方、人との付き合い方への適応を余儀なくされています。

中東イスラム地域でコロナ感染の「震源地」となったのはイランでした。AP通信は中東の感染事例の9割はイラン由来だと伝えています。

国内で1月末にはコロナ感染者が確認されていたにもかかわらず、イラン当局が初めて感染を確認したと発表したのは2月19日のことでした。24日にはハリルチ保健副大臣が会見で、イラン当局はコロナ感染の実態を隠蔽してなどいない、都市の封鎖など石器時代のものであり不要だと述べましたが、その翌日には自身の感染が確認され隔離されました。イラン当局はコムを封鎖すべきだというトルコの忠言を退け、都市封鎖も出入国制限も行わず、中国との航空便運行も継続しました。結果的に感染は爆発的に拡大し、イラン国営テレビは3月16日、イランでは350万人がコロナウイルスで死亡する可能性があると報じ、19日には保健省報道官がイランでは1時間に50人が新たにコロナウイルスに感染、10分に1人が死亡しているとツイートしました。

コロナウイルスが露呈させた問題

コロナウイルス流行は、イスラム世界の問題をいくつも露呈させました。第一に科学より信仰を優先する傾向、第二に陰謀論の流布、第三に異教徒に対する差別です。

イスラム諸国当局は概ね、科学や現代医学に矛盾しないかたちでイスラム教の教義を解釈し、信者を穏当な信仰のあり方へと導く方策を採用しています。

例えば男性イスラム教徒には金曜日の昼の集団礼拝への参加が義務づけられていますが、イスラム諸国の多くは感染拡大を懸念し、それを禁じました。ムスリム世界連盟事務局長ムハンマド・イーサー師はコロナ流行時における集団礼拝禁止はイスラム法的義務だと述べ、エジプトのイスラム学の殿堂アズハルは当局や医師の感染予防ガイドラインへの違反はイスラム法的に禁じられるという法令を出しました。各国のモスクは信者に対し、礼拝の時間を知らせる際に通常「礼拝に来れ」と呼びかけるところを、「家で祈れ」と呼びかけています。

礼拝と同じく信者にとっての義務とされているメッカ大巡礼についても、メッカを擁するサウジアラビア当局は信者に対し、今年は見送ってほしいと要請、大巡礼自体を中止する可能性についても示唆しています。

一方イランでは、当局は集団感染が疑われたコムやマシュハドの聖廟の閉鎖を要請したものの、廟の管理者は「人々は廟への参詣によって病を癒せる」などと主張し閉鎖要請を拒否しました。イランで多数派を占めるイスラム教シーア派信者の中には、預言者ムハンマドの一族の廟に参詣すると病の治癒を含む多くの「ご利益」を得ることができると信じる人が少なくありません。中でも特に人気があるのが、コムのファーティマ・マアスマ廟とマシュハドのイマーム・レザー廟です。

コロナ感染拡大後も信者たちはこれらの廟への参詣を連日欠かさず続け、2月末には複数の男性が「私がウイルスを取り除く」などと言って墓を囲む金属の柵を舌で舐める映像がSNSで拡散しました。男性らはフェイクニュースを広めた容疑などで拘束され、廟は強制的に閉鎖されましたが、それに怒った群衆がマアスマ廟の錠を破って中に突入し、我先にと金属の柵にすがりつき口づけをしました。イマーム・レザー廟の前ではイスラム法学者が「世界の健康などどうでもいい。彼らは不信仰者、ユダヤ人だ。我々は神のみを信じる。ここに集まり続けようではないか」などと群衆に呼びかけました。

感染源となった集団礼拝

韓国では「新天地イエス教会」という新興宗教団体の集団礼拝が集団感染源となったことが知られていますが、東南アジア・南アジアでも伝道と大規模集会の開催で知られるインド発祥のイスラム組織「タブリーギー・ジャマーアト」が類似の事例を引き起こしています。

タブリーギーが2月末からマレーシアのクアラルンプールで開催した伝道集会には、マレーシアだけでなくシンガポールなどの近隣諸国、中国や韓国、カナダやオーストラリアなど世界各地から約1万6０００人が参加し、手を握り抱き合って挨拶をしたり、肩を寄せ合って集団礼拝をしたり、食べ物を分け合ったりして4日間寝食を共にしました。3月30日時点で参加者１２９０人の感染が確認されています。

集団感染発生の事実にもかかわらず、タブリーギーは続けてインドネシアの南スラウェシでも集会を企画、地方当局は集会の延期を要請しましたが主催者はそれを拒否、ロイター通信に対し「我々はウイルスよりも神を恐れる」「人間は誰しも病や死を恐れるが、より重要なのは我々の肉体ではなく我々の魂だ」と述べました。集会は開始直前に延期となりましたが、会場には既に世界各地から約９０００人が集まっていました。

タブリーギーはインドのデリーでも3月1日から大集会を実施、参加者は３４００人に達し、24日にインドのモディ首相が全土封鎖を宣言した後も居座り続け、26日には指導者の一人がコロナ感染により死亡、28日にはＷＨＯチームが集会に入り感染が明らかな参加者33人を連れ出しました。強制解散させられた参加者はインド各地に散らばり、保健相は「主催者は甚大な罪を犯した」と非難しましたが、タブリーギーは「ルール違反は一切犯していない」と声明を出しました。4月に入り、当局は参加者５００人に感染の症状が見られると発表しています。

バングラデシュでも当局によって集会への参加自粛が要請されていたにもかかわらず、国内初のコロナによる死者が報告されたのを受け、3月18日にはウイルスからの解放を祈り『コーラン』章句を唱える大規模集会がライプールで開催され、主催者によると2万5000人以上が参加しました。

『コーラン』第10章57節や第17章82節には、『コーラン』は信者にとっての癒しにして導きであり、慈悲であると記されています。ゆえにイスラム教徒は、『コーラン』の一言一句に信者の苦しみや病に対する治癒が含まれていると信じているのです。

神以外のいかなるものをも恐れない

人は一般に、不快な事実より心地よい虚偽を好む傾向にあると言われます。

加えてイスラム教の場合には、信者は神のみを恐れ、それ以外はいかなるものをも恐れない、というのが正統な教義です。イスラム教は因果律を認めないため、ウイルス感染に関しても、ウイルスが主体的に感染を引き起こすわけではなく、あくまでも神の意思によって感染が生じると考えます。

しかしその一方で、イスラム教の預言者ムハンマドは「他者に害を与えてはならない」と言ったと伝えられています。彼の言行録ハディースは『コーラン』に次ぐ権威が認められており、他にも手洗いを推奨するものや、感染症に罹患した者はその場を離れてはならず罹患していない者は流行地に立ち入ってはならないと指示するものなどもあります。

神や聖者がウイルスから守ってくれると強く信じて聖廟に口づけしたり、タブリーギーの集会に参加したりしているイスラム教徒は、彼ら自身が高い確率で感染の危険に晒されるだけでなく、感染を広める源にもなりえます。それが現代の科学的知見です。

インドネシア保健相は2月24日、インドネシアにコロナ感染者がいないのは神と我々の祈りのおかげだと述べ、祈りによって感染を食い止めようと国民に呼びかけましたが、3月2日に初の感染者が報告された後は症例が急増し、コロナによる死者数は東南アジアで最多となりました。

パレスチナ自治区ガザでは3月20日、ジャミール・ムタワ師がコロナウイルスは神が遣わした「神の戦士」なので、アメリカやイスラエルは甚大な被害を受けるがパレスチナは被害を受けないと金曜礼拝で説教し、その翌日にガザ地区で初めての感染者が確認されました。科学に矛盾しない形で教義を解釈し信者の命を守ることができるかどうか、当局やイスラム法学者など宗教指導者の真価が問われる局面です。

流布する陰謀論

イスラム世界では陰謀論の流布も顕著です。

コロナ発生当初は「コロナはウイグル人ムスリムを迫害している中国に対する神罰だ」と

いう説が広まりましたが、感染がイスラム世界にも拡大すると、「コロナは生物兵器だ」という説が盛んに唱えられるようになりました。

3月3日にはイランのイスラム革命防衛隊のジャラーリー司令官が、コロナはイランと中国に向け敵から送り込まれた生物兵器だと主張し、5日には同サラミ司令官がコロナ生物兵器説を唱え、「それはおそらくアメリカ産だ」と述べました。10日には元イラン大統領のアフマディネジャド氏が、コロナという生物兵器を製造し拡散した研究所を特定するよう要請する書簡をWHOに送ったとツイートしました。

3月12日には中国外務省の報道官が、新型コロナウイルスは米軍が中国に持ち込んだ可能性があるとツイートし、翌日にはイラン最高指導者ハメネイ師が「これ（コロナウイルス）が生物兵器である可能性を示す証拠がある」とツイートしました。

3月21日にはイランが支援するイエメンのフーシー族指導者アブダッラー・フーシーがコロナウイルスについて、「アメリカ人やイスラエル人の武器」であり、アメリカがそれを拡散し、利用しているとテレビで演説しました。

コロナウイルスに関するこうした陰謀論は、単なる政治的プロパガンダの枠を超え、人命を危険に晒す危険性もあります。

イラクのシーア派指導者ムクタダ・サドル師は3月11日、「トランプよ、コロナウイルスを世界に拡散したのはお前とお前の仲間だ」と名指しで非難し、「我々はお前たちのもたらす治療など欲しくはない」とツイートしました。サドル師はイラク第一党の指導者でもあり、政治的にも多大な影響力を持っています。

ハメネイ師も22日のテレビ演説で、「我々の第一の敵はアメリカだ。アメリカは最も邪悪で不吉なイランの敵であり、その指導者はテロリストで嘘つきだ」と述べ、「ウイルスを製造したのはあなた方だと非難されている。それがどの程度真実かはわからないが、そのような疑いがあるのに賢者があなた方を信用できるはずがあるまい」「あなた方はイランでウイルスをさらに拡散、残留させる医薬品を送ってくる可能性がある」などと述べてアメリカからの支援の申し出を拒絶しました。

AP通信はこの演説について「根拠のない陰謀論」と批判、ツイッターではハメネイ師こそイラン国民を苦しめる諸悪の根源だという主旨で「ハメネイ・ウイルス」というハッシュタグが1日に50万回以上ツイートされました。

アメリカのポンペオ国務長官は「ハメネイ師の作り話は危険でイランや世界の人々をより大きな脅威にさらす」と述べ、イランのマハン航空がテヘランと中国の間で少なくとも55便を運行しイラン国民のウイルス感染拡大をもたらした、少なくとも5カ国で確認されたウイルス感染の最初の症例はイラン由来、イラン当局は少なくとも9日間最初の死亡例を隠蔽しただけでなく現在も感染数と死者数を実態よりもはるかに少なく発表し続けている、といった「事実」を提示しました。

国家の最高指導者や最有力者が陰謀論や反米イデオロギーに執着して偽情報を広めるにとどまらず、アメリカの開発したワクチンや薬の使用を拒否するとなると、イランやイラクの市民の命がさらなる危険に晒される可能性があります。

3月24日、イラン当局はコロナ感染者対応の支援のためイラン入りしていた「国境なき医師団（MSF）」に退去を要請、ポンペオ国務長官はイラン政権の最大の犠牲者はイラン国民だとツイートしました。ハメネイ師は22日の演説で「悪魔と敵」が共謀してイランを攻撃していると述べ、イランのメディアでは「国境なき医師団」はフランスのスパイだとまことしやかに語られました。

異教徒嫌悪や差別も噴出

コロナウイルス流行はイスラム世界で、反ユダヤ主義などの異教徒嫌悪や差別を噴出させてもいます。

トルコのイスラム主義政党である新福祉党のファティフ・エルバカン党首は3月6日、「シオニズムは5000年来人々を苦しめるバクテリア」であり、「確かな証拠はない」と留保しつつも、コロナウイルスは「人口を減らすというシオニズムの目的に寄与する」と述べました。エルバカン氏はトルコのエルドアン大統領と深いつながりがあることで知られています。

トルコの日刊紙イェニ・アキトも3月10日、イスラエルによるコロナ・ワクチン開発は、ゲイやレズビアンを増やし、伝統的な家族を破壊し、不妊を促進するなどして世界人口を減らすというイスラエルの目的の一環であるというコラムを掲載しました。

イスラエルのハアレツ紙はこうした状況について、トルコでコロナウイルスをめぐり反ユダヤ主義が広まっていると懸念を表明しています。

日本人も差別被害と無縁ではありません。3月1日にはパレスチナ自治区ラマラで日本人女性2人がパレスチナ人女性2人から「コロナ、コロナ」としつこくからかわれ[*12]、スマートフォンを取り出して撮影するふりをしたところ、1人が逆上して日本人につかみかかり髪の毛などを引っ張ったとNHKなどが伝えました。

在イラン日本国大使館は3月3日、在留邦人がテヘラン市内の有名高級レストランで入店拒否された、個人商店でイラン人の買い物客1名が「コロナ、コロナ」と騒ぎ立てながらあからさまに距離を取った、路上でイラン人に「新型コロナウイルスを撒き散らしているのはお前たちだ」と厳しい口調で詰め寄られたといった「邦人に対する差別的被害事案」が発生していると注意を呼びかけました。同大使館によると、テヘランでは信号待ちやバス乗車中に死角から頭を叩かれる等の事案も発生したとのことです。

インドネシアやヨルダンでも類似事案が報告された他、イタリア紙ラ・レプッブリカは3月1日にトリノで日本人女性がモロッコ人2人、イタリア人2人の男4人に「コロナウイルス降りろ！」などとバスの中で攻撃されたと報道、お笑いタレントのぜんじろう氏も3月9

日、ドイツのフランクフルトで「中東系の方に『おい！　チャイナ！　コロナ持ってくるな！』と、車から叫ばれました」とツイートしました。

パンデミックを前にした分岐点

日本人など東洋人に対する差別的攻撃はイスラム教徒に限ったものではありません。しかし伝えられた事案の中では、イスラム教徒による悪質な差別的攻撃が目立ちます。特に気になるのは、イランで報告された「死角から頭を叩く」という奇妙な事案です。

イスラム世界には歴史的に、人頭税を支払うことによってイスラム統治下に暮らすことを認められたズィンミーと呼ばれる異教徒が存在しており、イスラム教徒がズィンミーの頭を叩くという「慣行」があったことが知られています。ズィンミーにはイスラム教徒と見分けがつくよう特別な衣服の着用が義務づけられており、ズィンミーを見つけた時にその頭を叩くのはイスラム教徒にとっての「楽しい儀式」だった、とチュニジア出身のユダヤ教徒である作家アルベール・メンミは記しています。

イスラム法においてズィンミーは、唯一の正しい宗教であるイスラム教信仰を拒絶する愚かで劣った存在であり、差別され屈辱的な扱いを受けるべきだと規定されています。ズィン

＊12　https://www.youtube.com/watch?v=Fhof1RS3mkQ

ミーに対しては投石するという「慣行」もよく知られており、現在でもイスラム世界では子供らが異教徒に投石するケースが頻繁に発生します。イランで報告された「死角から頭を叩く」事案も、イスラム教の異教徒差別と関係している可能性があります。感染を避けるために人同士の接触を避けよと呼びかけられる中、わざわざ異教徒に接近して頭を叩くという行為は、いわゆる「人種差別」では説明できません。第三書簡で中田先生が記しているように、イスラム教は人種差別を否定しますが、宗教による差別は否定しません。

大禍の時ほど信者にとって信仰の重要性が増すのは想像に難くありません。イスラム教徒に対しては、啓示を否定するような指導はどんな際にも説得力を持ちません。しかしイスラム法には、どんな義務の履行よりも命の保全を最優先させるべきだという解釈理論もあります。

パンデミックという危機を前にして、その危機や科学的知見に背を向けてひたすら信仰や陰謀論、差別に向かうか、それとも啓示にもパンデミックにも背を向けることなく、危機の時代に最適な信仰のあり方を模索するか。

全人類に新しい生き方への適応が要請される「コロナ後の時代」に向けて、イスラム教徒の信仰のあり方はどのように変化するのか、あるいは変化しないのか。インターネット普及によって相対的に影響力を失いつつある宗教指導者は、信者を新たな時代への適応へと導くのか、それともより一層原理主義化する道へと突き進むのか。

イスラム世界は今、大きな分岐点に差し掛かっています。

書簡B

中東と東アジア、あるいは差別の概念

中田考

序

2020年3月2日、NHKなどが報じるところでは、パレスチナ暫定自治区の主要都市ラーマッラーの路上で1日昼すぎ、現地で支援活動を行うNGOの日本人女性2人が、通りがかりのパレスチナ人2人から「コロナ、コロナ」としつこくからかわれました。

やめてほしいとスマートフォンを取り出して相手側を撮影するふりをしたところ、1人が逆上してつかみかかり髪の毛などを引っ張られました。パレスチナ当局は1日夜、日本人の女性につかみかかったパレスチナ人1人を暴行の疑いで逮捕し、「事件は例外的であり、客人をもてなすパレスチナの伝統とモラルに反する行為だ」として、同様のからかい行為には厳しく対処する姿勢を示しました。現地の日本大使館によると、新型コロナウイルスに関連して日本人がからかわれるなどの嫌がらせを受けたという被害の連絡はそれまでに10件余り寄せられており、大使館はイスラエルとパレスチナ双方に適切に対応するよう申し入れる方針だといいます。

新しい黄禍論とオリエンタリズム

コロナウイルス肺炎は中国の武漢で発生しました。私たち東アジア人自身でさえ見かけだけでは中国人、台湾人、韓国人、北朝鮮人、日本人を区別できませんので、東アジア人以外に東アジア人がみな同じに見えるのは当然です。コロナウイルス肺炎が伝染病であるため、東アジア人が保菌者と疑われ伝染を恐れて嫌がらせを受ける、という事件が世界各地に頻発しています。そのうち世界全域に蔓延すれば東アジア人に対する嫌がらせは減っていくでしょうが、現時点では、トランプ米大統領がコロナウイルスを中国ウイルスと呼ぶなど東アジア人への風当たりはおさまる様子はありません。

異民族、特に見かけがちがう者に対する嫌がらせは古今東西どこにでもあることですので特に取り立てて言うほどのことではありません。しかし文明論的に重要なのは、「人類は平等」との現代のイデオロギーによって封印されていた「黄色人種差別」が欧米において現代の「黄禍論」として蘇ったことです。もちろん、これはまだ極少数の人間に限られた話ですが、衰えたとは言え今なお世界最大の覇権国であるアメリカで、「悪はすべて中国からやって来る」「アジア人を町から追放せよ」「アジア人は本国に強制送還せよ」などの書き込みがネットにあふれている状況は、トランプ政権が白人優越主義者を取り込むことで人気を得てきたポピュリスト政権であるため、アメリカと中国の関係が悪化すると、政治的に利用され、一気に力を得る可能性もあり、予断を許しません。特に同時並行的に世界中でポピュリズム、ナショナリズム（民族主義、国家主義）、排外主義が高まり、特にナチスの台頭を許したことへの反省から「人権」重視の建前を護ってきたドイツでさえ、ネオナチの活発化が報告されている現在、新たな「黄禍論」は軽視できません。

他人事ではありません。他者から見れば十把一絡げに黄色人種、中国人扱いされる私たち日本人の間でも「嫌中」「嫌韓」が政権党の中でさえ公然と語られています。マルクスは、支配階級の思想が支配的思想になる、と言っています。「脱亜入欧」を掲げて西欧列強の仲間入りしたと錯覚して第二次世界大戦で叩き潰された日本でしたが、戦後アメリカの属国として「奇跡の経済復興」を遂げ「名誉白人」扱いされ、またぞろ勘違いし、支配者である西洋人・白人目線でアジアを蔑視するようになりました。エドウィン・ライシャワー『ザ・ジャパニーズ（The Japanese）』（１９７９年）、エズラ・ボーゲル『ジャパン・アズ・ナンバーワン（Japan as Number One: Lessons for America）』（１９７９年）を読み、日本経済の「黄金期」、あるいは「バブル期（１９８６－１９９１年）」を日本と中東で学生生活を送った日本人として、私にとって日本はまぎれもない経済大国、アジア唯一の先進国でした。ですから、なんで日本がこんなに落ちぶれてしまったのか、きっと中国や韓国の陰謀があったにちがいない、という中年以上の日本人の気持ちは私にはよく分かります。気持ちは分かりますが、事実は単に私たちとその少し上の世代が日本が豊かだった時代に思い上がり調子にのって愚かな生き方をしてきた、というだけのことです。しかし自分が愚かだったことを認めるより他人のせいにする方が気持ちがよいのでそう考える人が一定数出てくるのも無理もありません。ただ私はあまり心配していません。二〇代の若者にはそもそも日本がアジアの中で特別な国という錯覚がなく、自然体で中国語や韓国語を学び東アジアの音楽やファッションを楽しんでいますから。「嫌中」「嫌韓」の流行は今だけの徒花で、私たちの世代がこの世を去ると共にそのうち消えていくものと思っています。

被支配者が支配者の価値観を内面化し支配者の目線で同じ被支配者を批判することは、イスラーム、中東地域研究の場でも、E・サイードの『オリエンタリズム』をめぐってお馴染みの議論です。中東、特に地中海のムスリム諸国の人々はもともと地理、歴史的にヨーロッパの一部であり、文化的にもヘレニズムとヘブライニズムをキリスト教西欧と共有しており、みかけでも浅黒く黒髪のラテン系のヨーロッパ人とは私たち東アジア人から見ると区別できませんし、レバノンやトルコには金髪碧眼でいかにもアーリア人という見かけの男女もそう珍しくはありません。上流階級には家庭内でヨーロッパ語を使っている人さえもいます。彼らが西欧人・白人へのコンプレックスの裏返しとして、見かけからして違う「平たい顔の」東アジア人を見下すのは、名誉白人を気取った日本人による韓国人、中国人蔑視よりははるかに理に適っている、と私は思います。

パレスチナとイスラエル

パレスチナでの日本人の事件のケースに戻りましょう。今回の事件は、イスラームとは無関係な中東の問題です。私が調べた限りではアラビア語の記事でも英語の記事でも逮捕されたパレスチナ人女性がキリスト教徒かイスラーム教徒かは分かりませんでした。しかし映像を見る限り髪を覆っていませんのでイスラーム教徒だとしてもイスラーム法に則って生きているわけではなさそうなので、イスラームの規定から説明するのが無理筋なのは確かです。パレスチナ当局の言葉にあるように「事件は例外的であり、客人をもてなすパレスチナの伝統とモラルに反する行為」というのが妥当な見方だと思います。今回の事件が、他者である外国人は「客人」にほかならず、「客人」は歓待すべき、との中東の慣習、倫理に悖ることが事実であるとしても、中東地域研究者としては他にいくつか述べておきたいことがあります。今回の事件では「コロナ」という言葉が使われていますが、ビデオの様子だと「コロナ」の語に特に意味はなく、問題は「嫌がらせ（harassment）」だったようです。「嫌がらせ」になるのは、「日本人」蔑視だと感じるからのようです。あるアラブ世界在住の日本人のツイートによるとこの事件はアラブ人のツイートでは「人種差別（ウンスリーヤ）」ではなく「いじめ（タナンムル）」と呼ばれていることが多いそうです。

客人をもてなすのは族長時代にさかのぼる遊牧民のモラルと言いましたが、地理的には中東に位置し族長アブラハムの正嫡を自称するユダヤ教徒の国イスラエルはそうでもないようです。3月16日付『The Jewish Press』紙が報ずるところ、イスラエルのティベリアでインドから移住してきたユダヤ人「ブネイ・メナシェ」のメンバーが、「中国人、コロナ」と罵られ、殴る蹴るの激しい暴行を被り胸と肺を傷め入院する重傷を負っています。被害者は「自分は中国人ではなく、ブネイ・メナシェのユダヤ人だ」と抗議しましたが、加害者はかまわず「コロナ」と叫んで暴行を続けたそうです。

パレスチナのケースでは映像を見ると、加害者のパレスチナ人女性とその娘は、通り過ぎようとしていたところを日本人女性がスマートフォンで撮影していたのを、力づくで阻止しようとしたようですから、好奇心から好意的に声をかけた、とは思いませんが、「コロナ」と呼んだだけであり、コロナウイルス罹患者の疑いがあるのでしつこく嫌がらせを続けて相手を国外追放にしようとする、といった実害を及ぼしたわけではないことは確かです。

その点では、このパレスチナ人の東洋人に対する嫌がらせは、加計学園岡山理科大学獣医学部獣医学科推薦入試で、筆記試験のトップを含む韓国人受験生が日本語コミュニケーション能力が不足であるとして面接点0点をつけられ不合格となった事件（志願者69名、韓国人受験者8名）に明らかになった、実害を伴う悪意ある陰湿な一部の日本人による韓国人蔑視のふるまいとは明らかに性格を異にしています。ちなみにこの0点を付けられた韓国人受験者の一人は、昨年9月の加計学園杯国際日本語弁論大会の優勝者だったそうです。パレスチナでは当局が加害者の女性を非難し逮捕にまで至っているのに対して、加計学園問題では大学教授たちという知識人までもが総理大臣に近い理事長の承認の下にこのような行動をとっており、現時点では日本政府は何のコメントもしておらず、はるかに根深く深刻な問題です。

パレスチナの女性は、日本では通りすがりに暴行により逮捕、と報じられていますが、私には、娘がスマホで撮影されそうになったのを阻止しようとしただけに見え、「暴行」とは思えませんでした。私自身はイスラーム法にない肖像権といった概念には極めて懐疑的ですが、加害者のパレスチナ人女性の行為は、娘にスマホを向け肖像権を侵害しようとしたことへの正当防衛と言うこともできそうです。私にはよく理解できませんが、今の日本人の多くの価値観では、この日本人女性の行動は、「差別」を見過ごさず勇敢に声をあげた行為、として肯定的に評価されているのでしょう――あまり興味がありませんので詳しくはフォローしていませんが、中東問題はそれなりに現れる私のツイッターのタイムラインでも「炎上」していませんでしたので――。しかし私には違和感があります。少し脱線しますが――私の話はいつも脱線ばかりしているように見えるかもしれませんが気のせいです――違和感の理由を説明しましょう。

構造的暴力

「構造的暴力」という言葉があります。もともとは国際政治学の用語で、直接的物理的暴力の対義語で、行為者の特定が困難な複雑な構造を有する権力抑圧現象を指すものでしたが、今では拡大解釈されて、さまざまな「不公平」や「差別」が「構造的暴力」と呼ばれています。「コロナ」問題も、東アジア人差別という糾弾すべき「構造的暴力」ということになります。しかし客観的に確定できる物理的暴力と客観的に確定できない主観的事象を区別するのは、法学の基本であり、「構造的暴力」概念は、乱用されれば法と国家の土台を掘り崩す危険があります。特に「法」の理解が決定的に欠けている日本人にとってはそうです。なぜ日本人に「法」の理解が欠けているか、について知りたい方は、拙著『イスラーム法とは何か？』（作品社）をお読みください。

私見によると「構造的暴力」の概念はそれを用いる者の意図とは逆に、「暴力」の概念を曖昧にすることで、かえって生《なま》の物理的暴力による抑圧の凶悪さを隠蔽することがしばしばあります。このケースでは――記事自体が「構造的暴力」の語を使っているわけではありませんが――「コロナ」と言われて差別されたと感じた日本人がそれを糾弾するために加害者のパレスチナ人を撮影し――報道によると「写真を撮るふりをした」となっており、糾弾のためにというのは私の推測ですが――それに対してそれを阻止しようとしたパレスチナ人女性を訴え、その結果パレスチナ人は防犯カメラで特定され逮捕されたわけですが、「コロナ発言」が構造的暴力、「逮捕」が隠蔽された生《なま》の物理的暴力です。

大陸法とも欧米法とも概念構成が全く違うので、正確には対応しませんが、イスラーム法にもおおまかに民事、刑事の区別はあります。ありますが、大きな違いとして、殺人傷害は、公権力ではなく、被害者に刑罰を決める権限がある、という意味でイスラーム法では民事になります。刑罰を決める、と言っても、イスラーム法の規定自体は神が決めたものですから、正確に言うと神の定めた複数の選択肢から一つを選ぶ権限が被害者に与えられている、という意味です。「目には目を歯には歯を」とはヘブライ語聖書「申命記」にもあり、ハンムラビ法典にまで遡るタリオ（同害報復法）であり、イスラーム法も基本的にこの原則を受け入れていることは、イスラーム法の専門家以外にもそれなりに知られていると思います。しかしイスラーム法では「目には目を」の同害報復（キサース）を認めながら、無償の赦しを最善とし、同害報復の代わりに血讐金（ディーヤ）を取ることも認めています。詳細はイスラーム法学書を見てもらうとして、血讐金は殺人には駱駝１００頭、傷害は片目駱駝50頭が基本です。実はイスラーム法の概説書でもあまり書かれていないのですが、イスラーム法学では悪口雑言も補論としてですが同害報復（キサース）章の中で論じられます。

殺人や傷害のような客観的に確定できる物理的暴力と違って、悪口雑言はただの言葉でしかないため、定額の血讐金（ディーヤ）がなく、殺傷罪の同害報復の規定から逸脱し、血讐金がないがゆえに一般にイスラーム法の同害報復刑の中では扱われませんが、一般的な指針は示しています。殺傷の場合と同じく、赦すのが最善ですが、悪口雑言を言われた場合には、同じことを言い返すことが許されます。但し、嘘は禁じられていますので、嘘で誹謗中傷された場合でも相手を嘘で誹謗中傷し返すことは赦されません。それが真実であれば、同じことを相手に言い返しても構わないということです。

事件の後、パレスチナ当局は直ちに日本人女性に事件がパレスチナのモラルに反する異例な出来事であると謝罪し、活動への感謝を述べ、加害者のパレスチナ女性を逮捕しました。それらの言葉が嘘であるとは言いませんが、その裏に、イスラエルの封鎖と抑圧によって苦境にあり、外国の援助に頼ってしか生きられないパレスチナ人の苦悩が透けて見える気がします。「構造的暴力」の概念がもし役に立つとすれば、そういう見方ができるようになることにしかない、と私は思います。

差別の認識論

中東のムスリム諸国の人々の間に東アジア人蔑視があることは既に述べました。勿論、全員がそうではありませんが、一部の人間にあるのは事実です。それはイスラーム教徒も同じです。イスラーム教徒の東アジア人蔑視がムスリム諸国を植民地化した宗主国の西欧人・白人の東アジア人・有色人種に対する人種主義的「差別」意識を内面化したものなのか、それともそれ以前からのものなのかについては、最後に論じたいと思いますが、その前に「差別」という語の問題性を明らかにしておく必要があります。

本稿ではここまで「差別」という語を用いず、使う場合も括弧付きの「差別」の形で使ってきました。それは「差別」が誤解を生み、判断停止を生む有害な概念だからです。『広辞苑』では「差別」について、①「差をつけて取りあつかうこと。わけへだて。正当な理由なく劣ったものとして不当に扱うこと」、②「区別すること。けじめ」と定義しています。私は小学校の頃、「区別は良いが差別はいけない」と教えられ、「差別と区別をどう区別するのか」と胡散臭く思って以来、「差別」という言葉を使う人間を疑うようになりました。「差別」を①の意味で使うなら、「正当な理由なく劣ったものとして不当に扱うこと」との定義によって「不当」であることが前提されていますから、「差別はいけない」とわざわざ言うことに意味はありません。「不当」であれば、不当な区別であれ、不当な取り扱いであれ、不当な利益であれ、不当な解雇であれ、不当な鑑定であれ、「いけない」に決まっているからです。問題は「なぜその取り扱いが不当か」であるのに、価値判断を前提した「差別」の語を使うと、肝心の不当性についての認識が判断停止に陥ってしまうからです。

そして「差別」概念を論ずるには、まず人間の認識が個物ではなくカテゴリーからなることを知らねばなりません。個物は無限に複雑であり、人間の情報処理能力は個物を認識できません。視野に入る空間には、文字通り無数の素粒子があります。素粒子は目に入りませんが、それらが集まって目に入る塊になり、それらが集まって世界が構築されます、たとえば今の私の視野にはパソコン、窓、カーテン、本棚、本、テーブル、椅子、衣服、扉、玄関などがあります。私たちの情報処理能力は視野に入る個物をその全体性において把握するには足りませんが、脳に入力された情報を単純化、抽象化された一般的なカテゴリーの集積として縮減することで認識します。人間だけではありません。生物はそれぞれ、丸山圭三郎が「身分け」と呼んだそれぞれの種に固有のカテゴリー認識の仕組みを備えており、その上に人間はそれらのカテゴリーを文字のような記号に対応させる「言分け」が可能となり、それらの記号を操作する能力によって、五感を超えた世界の認識が可能となり、「世界内存在」として実存するように創造されています。「創造」を信じないなら、「進化してきました」と読み替えてもらって構いません。

それでは東アジア人「差別」の話に戻りましょう。モノをカテゴリーによって区別するのは一義的には、人間の創造の必然であり、善悪の問題ではありません。そして人間のカテゴリー認識も動物と同じく「身分け」を基礎とし、人間の場合「身分け」とはまず「見分け」です。ですからカテゴリー分類がまず「見かけ」によるのは自然です。しかしオタマジャクシとカエルとナマズを見せられれば、「オタマジャクシはカエルの子、ナマズの孫ではないわいな。それがなにより証拠には後で手が出る足が出る」と教えられていなければオタマジャクシとナマズを同じ「水の中を泳ぐもの≒魚」のカテゴリーに纏めるのが普通でしょう。あらかじめ知っていなければむしろオタマジャクシが変態してカエルになる幼生だと思いつく方が変です。分類がまず「見かけ」によるとしても、後に修正されることもあります。とは言え、カテゴリカリー分類の妥当性の基準は必ずしも一つではありません。現代の生物学の基準ではオタマジャクシはカエルの幼生ですからどちらも同じ両生類です。しかし一般人にとっては、厳密性は欠いてもオタマジャクシは魚と同じく分かりやすい「水の中を泳ぐもの」というカテゴリーに分類し、水槽に水と水草を入れて時々茹で卵かイトミミズでも餌にやっている方が、中途半端な両生類の知識で湿った土と苔を入れてハエをやるよりも役に立ちます。手と足が生えてくれれば、それはその時に考えればよいことです。

「両生類」が西洋の生物学の概念であり、生物学で「両生類」と並べられる「魚類」と、古今東西のさまざまな言葉で日本語の魚（さかな）と訳されるものとの間にはズレがあります。「人種（race）」と「人種主義（racism）」は西洋近代に生まれた概念ですから、それを他の文明圏の過去の文献に読み込むのは間違いです。しかし近代西欧の「人種」に近い概念が、他の文明圏にも存在するのも確かであり、その微妙な差異を分析するのが、異文化理解の学としてのオリエンタリストの仕事です。

古典イスラーム学と人種差別

預言者ムハンマドの有名な言葉があります。「人々よ、あなた方の主は唯一（アッラー）であり、あなた方の父は一人（アダム）である。どのアラブ人にも外人（アジャム）に対する優越はなく、どの外人にもアラブ人に対する優越はなく、どの赤色（褐色）人にも黒人に対する優越はなく、どの黒人にも赤色人に対する優越はない。ただ神を畏れる想い（タクワー）による以外は」。アラブ人と外人（アジャム）の区別は男系出自による区別であり、黒人と赤色人は肌の色、見かけによる区別、おおまかに言えば人種です。つまりこの言葉は人間の価値は神を畏れる想いの多寡によって決まるのであり、出自や肌の色がそれだけで意味を持つことはない、と人種による人間の優劣を明白に否定している、と言えそうです。

アメリカの黒人差別に対して反白人・黒人優越を教義とするネーション・オブ・イスラームのメンバーだったマルコムXが、マッカに巡礼し神の前に肌の色、人種の違いなく平等に跪くイスラーム教徒の姿を見て感動してイスラームに入信した話は有名です。イスラームは人類の平等を説く、と言いたくなりますが、必ずしもそうではありません。「人種主義」が近代西欧のイデオロギーであったように「平等」も近代西欧のイデオロギーであるなら、前近代の非西欧には「人種主義」が存在しないように「平等」主義も存在しないからです。

人間の価値は信仰によって決まるのであり、出自や肌の色それ自体には意味がないのは事実だとしても、信仰と、現在の私たちなら「民族」と呼ぶものの間に、コンティンジェント（contingent）な結びつきがあることまではイスラームは否定しません。クルアーンは多くの箇所でイスラエルの民をどの民よりも優先したと述べています（たとえば2章47節）。またクルアーンがアラビア語で下されたこと、預言者がアラブ人であることから、アラブの重要性も教義のうちです。更にムスリムの『正伝集』によると預言者ムハンマドは「アッラーはイスマーイール（イシュマエル）の子孫（アラブ人）の中からキナーナを選び、キナーナの子孫の中からクライシュ族を選び、クライシュ族の中からハーシム家を選び、ハーシム家の中から私を選んだ」と言われており、アラブの中でも特定の部族の格式の高さを認めています。これらはイスラーム法にも反映されています。クライシュ族の出自はカリフの条件になっており、夫の選択には家柄が考慮され、ハーシム家の者は浄財の支給を受けることができません。

アラブの優越について、イブン・タイミーヤ（1328年没）は「イスラーム学者の大多数によるとアラブ人種（ジンス）はそれ以外より優れている。（…中略…）しかし（アラブ人の）総体が（異民族）総体に対して優越しているからといって、かならずしも（アラブ人個々人の）全員が（異民族）全員より優れている、ということにはならない。アラブ人以外にもアラブの大半よりも優れた人たちがたくさんいる」と一般論を述べています。つまり、イスラームは人間の形式的、絶対的平等を説きませんが、かといって教条的な人種主義も取らず、個々の問題にケースバイケースで対応する現実主義を取るということです。今回の例で言うなら、東洋人のコロナ罹患者の割合が多いとしても、全ての東洋人をコロナ罹患者扱いするのは正しくない、という常識的な結論になるでしょう。

たとえば——仮にの話ですが——ヨーロッパにおけるイスラーム教徒移民の失業率、犯罪率が高いとしても、それは本質的属性ではなく、植民地支配によって搾取された本国で貧しい生活を余儀なくされ移民を強いられたことによる経済資本、社会資本におけるハンディキャップばかりでなく、マジョリティーの「白人」キリスト教徒に比べて文化資本においても劣っているため職が見つけにくく犯罪に手を染めざるを得ないことが多い、というコンティンジェントな属性であるなら、個々の移民毎にケースバイケースで犯罪者は犯罪者、そうでない者はそうでない者として扱えばよいのか、それとも本人の責任でない失業、犯罪の原因となる経済、社会、文化資本のハンディキャップを取り除くことが正しいのか、は簡単には答えられません。ある集団の属性がコンティンジェントな場合については、欧米の社会科学でも、アファーマティブアクション（affirmative action）の是非をめぐる問題として議論が積み重ねられていますが未だに結論は出ていません。古典イスラーム学にも通説となるような回答があるわけではありません。

イスラームと東アジア人差別

イスラームには近代西欧的な人種差別はありませんが、古典アラブ人文学の伝統の中で黒人（ザンジュ）には「頑健」「純朴」「勇敢」「気前が良い」などの美徳と共に「知性を欠く」「不品行」などの悪徳も帰されており、概してネガティブな扱いを受けています。歴史的にも黒人奴隷（ザンジュ）は白人奴隷（マムルーク）に比べ社会的地位が低かったのも事実です。また大航海時代以降、西欧で人種主義的な黒人奴隷の売買が盛んに行われた時期に、アラブの奴隷商人がそれに加わっていたこともよく知られています。礼拝の義務や飲酒の禁止といった誰もが知るイスラーム法の規定ですら「現実」にはいくらでも破られているのですから、人種差別において「現実」とイスラームの理念に乖離があるのは言うまでもなく当然で、取り立てて言うまでもない、と言えばそれまでですが。

今回は詳しく論じられませんが、黒人「差別」がないはずの、イスラーム文明にも、それなりに深刻な――欧米に比べれば無いに等しい、とも言えますが――「黒人差別」が存在してきたのに比べて、東アジア人に対しては実は取り立てて言うべきことは殆どありません。

一般に中東のムスリムの間では東アジアに対する関心は低く、歴史的に中国、日本、朝鮮については殆ど研究はありませんでした。17世紀には日本では回儒と呼ばれている朱子学教養を身に着けたムスリム学者たちが独自の中国イスラーム思想を展開しますが、今日に至るまで中東では殆ど知られていません。

殆ど唯一の例外が日露戦争における日本の勝利で、初めてヨーロッパ列強の一国であるロシアをアジア人が打ち破ったことは植民地支配に苦しむムスリム諸民族、オスマン帝国に大きな希望を与えました。しかし脱亜入欧を旗印にアジアの諸民族の植民地支配からの解放よりも帝国主義列強の一角に入ることを目指していた当時の日本がムスリム世界に興味を持っていなかったため人的交流が進むことはなく、日本についてはヨーロッパとは違う独自の近代化のモデル、という虚像だけが独り歩きし、実質的な理解は広まりませんでした。中東では、西洋と異なりムスリムを植民地支配しなかった日本とは仲良くできる、といった言説をよく耳にします。しかしそこには、日本が世界最大のムスリム国インドネシアを植民地支配し、ムスリムに宮城遥拝を強要した事実がすっぽり抜け落ちており、そのこと自体が日本とインドネシアを含む東アジアへの中東のムスリムの蔑視、というより東アジアが中東のムスリムの眼中にないことを何よりも雄弁に示している、と私は思っています。

結語

いつものように纏まりのない話になりましたが、パレスチナで日本人が「コロナ」と呼ばれて暴行を被った、といった報道の問題点の一端は理解してもらえたかと思います。

私たちの世代は日本が世界の中で名誉ある地位を占めることができた歴史上おそらく唯一無二のチャンスを愚行を重ねてみすみすつぶしてしまいました。拙論を読んでくれた若い人たちには、私たちの過ちを繰り返すことなく、世界の中での自分たちのあるべき立ち位置を見出してほしいと切に願います。

第九書簡

トルコのコロナ対応をめぐる考察

書簡A

トルコの対応から見るCOVID-19問題

中田考

伝染病の規定

前回はパレスチナ／イスラエルの新型コロナウイルス感染症（以後、COVID-19と記します）をめぐる東洋人に対するハラスメントの問題を論じました。今回はトルコの対応を中心にCOVID-19の問題を総合的に論じたいと思います。

まずイスラームの視点から。クルアーンには伝染病に直接関係する句はありません。ハディースのレベルになるとスンナ派では日本語にも訳されているブハーリー（870年没）とムスリム（875年没）の正伝集が共に収録する預言者の言葉「疫病はアッラーが彼のしもべたちの一部を試す天罰である。それゆえもし疫病のニュースを聞いたなら、そこには行ってはならない。もしあなたがいるところにそれが発生したらそこから逃れてはならない」が該当します。

「疫病」と訳した「ターウーン」ですが、ハディース学者ナワウィー（1277年没）は「ターウーン」を「腋や関節などに腫瘍ができる疫病（ワバーゥ）」と説明しています。腺ペストのような伝染病だったようです。

腺ペストは預言者の時代にはエジプトで流行っていたようですが、第二代カリフ・ウマルの時代にシリアに蔓延し、ビザンチン帝国治下のシリアに侵攻していたムスリム・シリア遠征軍を襲い（636－637年）、ムスリム軍は総司令官ウバイドゥッラー以下名だたる武将が死亡し壊滅的打撃を受けました。その時、預言者の言葉に従い街からの退去を渋ったウバイドゥッラーに対してウマルは全軍に空気の良い高地への退去を命じました。このウマルの決定はスンナ派イスラーム法学の伝染病の流行る町からの退去の許可の法源となります。

アブドルカリーム・ハイルッラー（ザルカー大学シャリーア学部教授）のように「ターウーン」を腺ペストとみなし、一般の伝染病（ワバーゥ）とは別とみなす者もいますが、COVID－19が流行っているスンナ派諸国の宗教界、政府は、上記の有名なハディースを根拠にCOVID－19をターウーンの一種とみなし、モスクの閉鎖、集団礼拝の禁止、外出禁止、都市のロックダウンを認めています。

一方、中東では最初にCOVID－19が流行しトルコと並んで最大規模の感染者を出しているシーア派のイラン（5月12日現在、感染者11万7677人、死者6733人）ではロックダウンは行われていません。法学的にはシーア派ではフッル・アーミリー（1693年没）による標準的法学ハディース集『シーア派の道具』の「ジハード戦士や防人のように持ち場を離れてはならない者を除いて疫病とターウーンの場からの逃亡の許可」節が、ジャアファル・サーディク（765年没）による疫病の地からの移動の許可を伝えています。彼によると、疫病の場から逃亡することを預言者が禁じたのは、たまたまそこが敵と向かい合う前線だったからであり、そうでなければそこを離れても問題ないことになります。

イスラームと病気

ただし、イスラームは総合的な教えの体系ですので、伝染病が発生しても、伝染病の規定だけ見て、ムスリムは伝染病に対してはこう行動する、といった短絡的な説明はできません。そこでイスラームにもムスリム社会にもなじみのない読者のために、死と病についてのイスラームの考え方の大枠を説明しておきましょう。

まず一般論として、どんなに用心しようとも人は死から逃れられません。クルアーンにも「たとえ堅固な砦にいようとも、あなたがたがどこにいようとも、死はあなたを捉える」（4章78節）と言われています。人はどうあがいても死を逃れることはできず、自分がいつ死ぬかを知ることもできませんが、死は天命でありアッラーはご存知です。「幽玄界の鍵は五つあり、アッラーだけがご存知である。いつ子供が産まれるかはアッラーだけがご存知である。明日何が起きるのかはアッラーだけがご存知である。雨がいつ降るかはアッラーがご存知である。誰もどこで死ぬかを知らない。最後の審判の時がいつかはアッラーだけがご存知である」ブハーリーの伝える有名なハディースです。

とはいえ、病気を嫌がることが人の性であり、治癒を望むことが禁じられているわけではありません。どの宗教にも病気直しの祈りがあるように、イスラームにも病気に際しての祈りがあります。ブハーリーは、預言者ムハンマドが弟子に教えた「万世の主、害悪の除去者であるアッラーよ、私を癒してください。あなたは治癒者であり、あなた以外に完治させる治癒者はいません」という祈願句を伝えています。他にもクルアーンの最後の3章（112、113、114章）を読むのも病気に良いとされています。

また病気にはただ祈るだけではなく薬による治療もあるのも他の宗教と同じです。同じくブハーリーのハディースに「黒種草の種は死以外の万病に効く」と言われている黒種草の種が一番有名で、現在でも通信販売などでムスリム世界全土で広く売られています。私も昔お土産にもらいましたが、使わないうちにいつの間にかなくなってしまったような気がします。また蜂蜜も薬効があるとの預言者の言葉があり、よくお土産にもらいます。蜂蜜は薬効はともかく美味しいので私も愛飲しています。他にも、預言者からは瀉血療法、葦の灰を使った血止めなどが伝えられています。これらはまとめて「預言者の医学（ティッブ・ナワウィー）」

と呼ばれており、全てをここで述べることはできませんが、重要なのはムスリムの伝える「すべての病気には薬がある。それゆえ病にあった薬が処方されれば、アッラーの御許しによって治癒する」というハディースです。クルアーン、ハディースには病気の違いによる独自の治療法の詳細は述べられていませんが、病気ごとにそれにあった薬が存在すると予言し新しい薬の発見を促すこうしたハディースがあるおかげで、ムスリムたちはクルアーン、ハディースにない薬を探しイスラーム医学を発展させることができました。特に翻訳されたギリシャ医学に独自の知見を加えてイスラーム医学を大成したのが哲学者アビケンナとしてヨーロッパでも有名なイブン・シーナー（１０３７年没）で、彼が書いた『医学典範』はラテン語に訳され17世紀半ばまでヨーロッパの医学部でテキストとして参照されていました。イスラーム医学はムスリム世界では「ユーナーニー（ギリシャ）医学」と呼ばれ、現在でも民間療法として生き残っています。

イスラームにおいて死は神によって定められており、どんなに用心しようとも逃れがたい人知を超えた天命であり、病死もまたそうです。とはいえ、人間がいずれ死ぬ者であり、全てが神が定めた天命であっても、それがいつかを知らない人間は手をこまぬいて病を座視していなければならないわけではなく、クルアーンなどを読んで治癒を祈ったり、薬を飲んだり、いろいろな治療を試すことが許されています。それだけでなく、特にペストのような伝染病には、自己隔離を命じるハディースが伝えられているのは最初に述べた通りです。

イスラーム法理論は、イスラーム法が守るべき法益を、身命、財産、血統、理性、宗教の五つに纏めます。法益の一つである生命、身体の保護はイスラームの教えの一部です。クルアーンは「あなた方自身を殺してはならない」（4章29節）、「自らの手で破滅に導いてはならない」（2章195節）と自殺、他殺、死を招くような行動を禁じています。またバイハキー（1066年没）やタバラーニー（971年没）などが伝えるハディース「有害なことも加害もならない」は病気を伝染させることにも応用できます。

しかしイスラームにおいて病気には、身体的健康を損なう、という現世的、医学的観点から以外にも倫理的、宗教的意味もあります。まず一般論としてイスラームは災禍にも利益があると教えています。ムスリムの伝えるハディースに「信仰者には万事が良いことである。それは信仰者だけの特権である。幸運に感謝すればそれは善行となり、悪運に忍耐してもそれもまた善行となるからである」とあります。

またブハーリーの伝えるハディースには「ムスリムがこうむる苦労、苦痛、悩み、悲しみ、不快、憂鬱、あるいは棘に刺されただけでも、アッラーはそれによってその過ちを贖われる」と言われています。つまり、この世の不幸はそれを忍耐すれば来世での罪の償いになる、ということです。

特に病気についてもムスリムの伝えるハディースに「ムスリムがこうむる病気などの不幸によって、木が葉を振り落とすように、アッラーはその悪行を振り落とされ（贖われ）る」と言われています。

またイスラームは病んだ時の心得だけではなく病人を見舞うことも強く勧めています。一つだけムスリムの伝えるハディースを紹介しましょう。

「最後の審判の日にアッラーは仰せになる。『人の子よ、私が病んでいた時、あなたは私を見舞わなかった』。その者が『我が主よ、あなたは万世の主であらせられるのに、どうして私などにあなたを見舞えましょうか』と言うと、アッラーは『我がしもべ某が病気だった時あなたは彼を見舞わなかったのを覚えていないか。もしあなたが彼を見舞っていたなら、あなたは彼の許に私を見出したことを知らないのか』と答えられます」

病気見舞いに限りません。ムスリム世界を訪れたことがある人ならお分かりと思いますが、ムスリム世界はキスとハグの濃厚接触の文化です。但し、異性間では親族以外の肉体的接触は禁じられているので、あくまでも同性間の話ですが。

COVID－19に対する日本とトルコの反応の違い

病気、伝染病についてのイスラームの教義の話はいったん終えて、COVID－19コロナ問題に戻りましょう。中東で最初にCOVID－19の感染爆発が顕在化したのは、イランでしたが、現在ではトルコがイランを抜いて中東最大のCOVID－19感染国となっています。

本稿でトルコを例にあげたのは単に感染者が多いからではなく、トルコにおけるCOVID

－19問題は大きな地政学的意味を持つからです。また私はトルコは長期滞在はしたことがありませんが、現代トルコのイスラーム思想を研究するかたわら、１９９０年代から数十回にわたって訪れてある程度土地勘があるため、ＣＯＶＩＤ－19関連のニュースも大きく誤読することはないと思います。

日本は人口1億2６００万人、トルコは８３００万人、私の雑な解像度だと、どちらも人口約1億人の同じくらいの大国ですので、人口的にも比べるのにちょうどよい規模です。

これを書いている5月12日の時点ではワールドメーター（Worldometer）によると[*13]、トルコと日本の感染者総数、死者総数、検査件数は14万１４７５人、３８９４人、１４４万６７１件、1万５９６８人、６５７人、22万３６４９件です。検査数がトルコは１４４万６７１件と、人口ではトルコは日本の約3分の2ですが検査数は約6倍です。トルコは最初の感染者が発見されたのは遅く3月10日でしたが、その後急速に増加しています。小児科医師で医療行政の専門家であるコジャ保健相が問題を担当し、徹底して検査数を増やしピークがいつかを国民と共に確認しながら対策を立てる方針です。しかし検査数はトルコが多いというより、世界でも日本が例外的に少ないことが指摘されています。日本は肺炎の重篤な症状が出ない限り検査を受けさせないという方針ですので無症状の感染者は言う迄もなく肺炎を発症しな

＊13　https://www.worldometers.info/coronavirus/

から回復した者の数も把握できていないのが確定した事実ですので、実際の感染者の数は分かりません。

日本が既に医療崩壊の危機にあるのに対して、6倍の感染者を抱えるトルコは医療崩壊に陥っていません。それどころかトルコは軍用機を動員してCOVID-19対策のためにセルビア、ボスニア・ヘルツェゴビナ、モンテネグロ、北マケドニア、コソボ、リビア、イタリア、イスラエル、スペイン、イギリス、アメリカなどに医療従事者のための個人用防護具などの医療器具を送り、イスラエルとパレスチナには医療チームまで派遣しています。もっとも、イギリスでは4月中旬にトルコに注文していた手術衣約40万着が英国の安全基準に達せず引き渡されていなかった、といったハプニングもあったようですが、まぁご愛敬です。先進国だと思っていた日本の医療環境がここまで貧弱だったとはショックでしたが、それはともかく、外国への医療支援には帝国としてのトルコの自負と矜持がうかがえます。しかしそれだけではなく大統領府スポークスマン・イブラーヒーム・カルンがスペイン、イタリア、イギリスへの支援によってトルコがNATOの頼りになるメンバーとしての信頼感を示したと述べていることからも、裏にしたたかな外交的打算があるのも事実です。一方で日本では大阪府では医療関係者の防護服が足りないために市民に雨合羽の寄付を募る羽目になっているのを横目に、東京都は備蓄の防護具から20万着を中国に送付しており、更に自民党の二階幹事長が10万着の送付を都に要請していますが、どう考えても裏に冷徹な国家的戦略があるようには思えませんね。

日本政府がCOVID-19対策で後手後手に回った、というかほとんど何もしなかったのに対して、――私自身はCOVID-19は大騒ぎせずできるだけ無視して普通に暮らすべきだと思うので、この点については日本政府を批判しているわけではありません――COVID-19の感染者が見つかったのが日本より2カ月近くも遅かったにもかかわらずトルコは素早く対応しました。3月22日には罰金付きの65歳以上の老人と病人の外出禁止令を出しましたが、4月4日には30の大都市圏でのロックダウン、都市間の交通の2週間停止を決め、外出禁止措置を65歳以上に加えて20歳未満に拡大しました。強制力のある大都市のロックダウン、外出禁止などの処置は欧米や中国などでも行われており、法的強制力のないほとんど意味不明の「自粛」勧告でお茶を濁している日本の方が特殊ですので、あえてトルコのロックダウンや、外出禁止については論じません。トルコに特徴的なのは、65歳以上に対する外出禁止措置でしょう。

日本の自粛勧告は、感染しないで欲しい、との人道的配慮より、ウイルスを伝染させるな、という他罰的な意味合いが強く感じられます。日本の自粛勧告が、自粛しない人間を政府に代わって糾弾、攻撃する人間が日本各地に出没する「コロナ自警団」、「コロナ八分」とも呼ばれる現象を生み出しているのもそのせいでしょう。それに対してトルコの65歳以上外出禁止は、違反者への罰金が定められていますが、65歳以上の老人を助ける目的と考えられます。

ウイルスの拡散の防止なら老人を特別扱いする必要はありません。むしろ活動的な若者から外出禁止にするべきです。老人だけの外出を禁じたのは老人の死亡率が高いからです。ですから外出できないことで支障がある老人には内務省に緊急通報すればボランティア、治安警察、市警などが対応し、買い物なども代行してくれます。外出禁止を20歳以下に拡大したのも子供の保護でしょう。

老人を敬い、子供を慈しむことは、イスラームの倫理です。ティルミズィー（892年没）の伝えるハディースにも「子供を慈しみ老人を敬わない者は我々の仲間ではない」と言われており、イスラーム学の最も標準的な古典ガザーリー（1111年没）著『宗教諸学の再生』にも「万人に対して良い態度で振る舞い、老人を敬い、子供を慈しみ、万人に笑顔で接しなさい」とあります。ですから、トルコのCOVID‐19対策がイスラームの教えに基づいている、と言いたいわけではありません。イスラームの合法政体カリフ制を廃した世俗国家トルコ共和国の憲法の下にあるエルドアン政権の行為は原理的に全て反イスラーム的であるだけでなく、個別的にも殆どがイスラーム法に反していますから、一部の行為がイスラームの教えにたまたま合致しているからといって、イスラームの教義に基づいて行っている、とは言えません。そもそも洋の東西を問わず、たいていの宗教は子供や老人を大切にせよと教えています。「周礼」にも「一曰慈幼二曰養老」とあり、儒教でも子供と老人の世話を国家の任としています。

重要なのはイスラームの教えのほとんどが守られていないトルコですが、老人を敬い、子供を慈しむ、という教えは今も社会の中で生きており、それが対COVID-19政策においても反映されている、ということです。トルコ人の子供好き、敬老精神は有名ですが、私も個人的にも体験していますし、トルコ地域研究者も口を揃えて言っていますので確かでしょう。勿論、何事にも例外はあり、トルコでもSNSで外出を禁じられた老人を嘲るSNSの投稿もありましたが、投稿者は逮捕され、内相、情報相が、厳罰で臨むとの声明を出し、犯人は高齢者施設での懲役を命じられています。こういう処分が可能なのは社会的な支持があるからです。

トルコと日本の文明論的比較

トルコは、3月23日には7カ国にいる3500人以上の学生を対象に救出作戦敢行を決定し、25日には7カ国から2721人の留学生の帰国を完了させ、14日間、政府の施設で隔離させました。ドイツでは10人の留学生のために飛行機を借り上げています。こうした手厚い手当てができるのも、トルコではCOVID-19に対して大統領の7カ月分給与を皮切りに大臣、議員、財界、国民からの寄付が続いているからでもあります。募金は4月11日の時点で約200億ドルに達しています。日本で政治家が給与の一部を寄付すると言っても、売名としか思われず共感を得られませんが、喜捨（サダカ）が社会に根付いているトルコでは当然の行為として受け容れられます。

一方、日本は、日本政府の公費留学生にさえ帰国を要請しながら、帰国費用も自腹で飛行機の手配も自分で行わせ、日本に帰国後も空港からの公共交通機関の利用を禁じ、帰国後14日間の自宅かホテルでの待機を命じています。ホテルへの宿泊も勿論自費です。

私自身、ＣＯＶＩＤ－19をめぐるトルコと日本の対応を比べて一番衝撃的だったのは、この留学生召喚の問題でした。イスラームの歴史の中では学問（タラブ・イルム）は全てのムスリムの義務であり、学生はジハード戦士と同じく「神の修道者（フィー・サビーリッラー）」として国庫（バイトゥルマール）から浄財（ザカー）の支給を受ける伝統が確立されています。西欧化（近代化）以前のイスラームにおいては学問とはイスラーム学に他なりませんでしたが、西欧の学問と学制が導入された現代のムスリム世界では、西欧的近代学制が圧倒的に主流であり、イスラーム教育は周辺化されて細々と生き残っているだけです。しかし現在でもムスリム世界ではイスラームの勉強を志す学徒は学費が無償で学べるだけでなく、衣食住の支援を受けるのが原則です。世俗化が進んだトルコでも、学問を重んじ学徒を大切にするイスラームの精神は生きています。

というか、本来のイスラームにおける学問尊重に加えて、西欧崇拝に基づく西欧近代科学を身に着けた「インテリ」に対する学歴崇拝が加わって、より強化されているかもしれません。日本では、博士なんて恥ずかしくて名乗れませんし名刺にも書けませんが、イスラーム世界では、博士、ドクターはミスター（ミセス）とははっきり呼び分けられる称号です。イスラーム世界だけではなく、それがグローバルスタンダードで日本が異常に反知性主義なのです。国際線に乗った人なら氏名の欄の肩書がDr./Mr./Ms.の三択なのはご存知だと思います。まぁ、これは博士といっても、飛行中の急患が出た時のために医者（ドクター）がいるかどうかを知るためだとは思いますが。

トルコと日本を比較したついでにエルドアン政権と安倍政権を比べてみましょう。大局的にみると、国際的なグローバリズムとリベラルの退潮と排外的民族主義の高揚と各国政府の強権化という文脈で、エルドアンと安倍は共に民族主義者・独裁者として扱われることが多いですが、実はどちらも違います。

勿論、制度的に首相職を廃し大統領に強力な権限を持たせる憲法改正を強行し自らその大統領に就任したエルドアンと比べて、小手先の法改正による官邸の権限強化が関の山の安倍を独裁者と呼ぶことができないのは明らかです。しかし実際には改正不能な憲法の世俗主義条項の存在と、その守護者である強力な司法部とかつての強権から比べるとエルドアン政権下でずいぶん骨抜きにされましたがそれでも今なお隠然たる力を持つ軍部の存在によって強力な足枷を嵌められているエルドアンでさえ、実際には独裁者とは程遠い存在です。そもそも選挙で与党が連立を組んでやっと52%弱しか取れない独裁者などというものはありえないのですが、ムスリム世界の事情に疎い上に、イスラーム主義に対する敵意による認知の歪みが甚だしい欧米のメディアは正しい認識ができていないのです。

　エルドアンと比べると、安倍が二重の意味で独裁者ではないことが明らかになります。第一にエルドアンも安倍も制度的にも実質的にも、憲法と選挙に掣肘され、脅迫と弾圧で選挙の結果を好きなように改竄し、憲法を好きなように改正することができる「本来の意味での独裁者」でないことは明らかです。第二に大日本帝国において東条英機がヒットラーやムッソリーニと違い絶対的な権限を持たない天皇の一臣下でしかなかったように、現代の日本にも個人独裁が成立する余地がないことです。これは無答責の神聖な天皇を頂点に、全ての権力者が責任を上位者に棚上げする一方で、下位者に抑圧を委譲し、抑圧された下位者は外部の仮想敵への憎悪にはけ口を求め、この下からの匿名の無責任な力を上位者が統制できなくなり上位者をも引きずるような「下克上」が起きる、丸山眞男が「無責任の体系」と名付けた日本に独自の政治構造に由来するものです。私見では敗戦で象徴天皇制に移行し、支配される国民が主権者というフィクションの「民主主義」を付け焼刃で借り入れたことで、この「無責任の体系」は、更に責任の所在が有耶無耶になって強化されています。それが内実を伴わない「社会＝世間」を絶対化する「空気」の支配です。「コロナ自警団」「コロナ八分」がそれです。今も昔も日本人を本当に支配しているのはカリスマ的支配者ではなく「社会＝世間」の空気です。安倍に出来るのはせいぜい花見や、学校や、マスクで身内にケチな利権を回すぐらいが関の山で、彼には人々の心も行動も支配することはできません。ＣＯＶＩＤ－

19によって日本は確実にファシズムへの道を歩んでいくと思いますが、それは安倍やその後継者の独裁によってではなく、日本的「無責任の体系」の「空気」の支配によってだろうと私は思っています。

まとめと今後の展望

ここまでの議論を整理しましょう。イスラームでは死はどんなに逃れようとしても避けられない天命とされていますので、どんな死病であれいたずらに恐れてパニックになってはなりません。しかし病気になっても手を拱いて何もしてはならないわけではありません。アッラーはどんな病気にも薬があることを教えていますので、医学を研究し治療を求めることは良いことです。しかし病苦に耐えることも、神に嘉される善行で、耐え忍ぶなら病苦は悪行の償いになります。また病人にはお見舞いが善行であり、「病人の許にはアッラーがおわす」とまで言われています。またイスラームはモスクで集団で礼拝し、親戚を訪ね、一緒に食事をするなど、人が集まることを勧めています。人々の付き合いが深く、「日常生活」でもモスクでの礼拝やラマダーン月の断食明けの食事など「宗教的場」においても「濃厚接触」の機会が多いのは、イスラームの教義を離れてもムスリム世界の特徴となっています。

イスラーム法は、正邪、善悪の二値ではなく、義務、推奨、合法、忌避、禁止の五値の評価体系ですが特に伝染病に関しては、伝染病の流行る土地には行ってはならずそこにいた者はそこを離れてはならない、という預言者のハディースは、スンナ派カリフのウマルやシーア派イマームのジャアファル・サーディクの判断などが加わり、絶対的な命令にはならず、状況判断によって柔軟に運用できる一般的指針になりました。おおむねムスリム諸国の政府は国内の一部の都市のロックダウン、またCOVID-19感染国への航空便の運休などの政策を取っています。ムスリム国内でのディスコースでは預言者ムハンマドのハディースが引用されてイスラーム的な彩色を施されていますが、実際には西欧や中国などと同じ疫学的判断に基づいています。もっともそれ自体ハディースを考慮しつつ現実的な判断を下すカリフ・ウマルの先例に基づくイスラーム的なものとも言えます。

ムスリム諸国に特徴的な行動としては、COVID-19が流行っている国では人が集まるモスクが閉鎖されたり、金曜日の昼の集合礼拝が禁止されたりしています。またラマダーン月には、夜の礼拝の後に集団で長時間祈るタラーウィーフという特別な礼拝が定められており、日が暮れるとモスクで日没の礼拝を集団で行い断食明けの食事を一緒に食べる習慣がありますが、それも中止になっています。また大巡礼の時期には2〜300万人の巡礼が集まり、普段でも何万人もの礼拝者が集まるサウジアラビアの聖地マッカ、マディーナのモスクも一般の礼拝者の入場が禁じられています。5月13日の時点では大巡礼の中止は宣言されていませんが、現在でもサウジアラビアではマッカの聖モスクが一般礼拝者の入場を禁じ国際便を運休にしていますので、正式に中止にならなくとも今年の大巡礼は殆ど参加者が集まらないことになるでしょう。いずれにせよ1814年にマッカのあるヒジャーズ地方でペスト（ターウーン）が流行り約8万人が亡くなった時にも大巡礼が中止になった先例もあるようですので今年も中止になってもおかしくはありません。

トルコのCOVID-19問題に対する対応においてイスラーム的には他のムスリム諸国との間に大きな違いはありません。違うのはNATOのメンバーである存在感を示したと強調したヨーロッパへの医療支援でしょう。COVID-19は現行の国際関係、というか国際秩序を根本的に変える大きなインパクトがありますが、既に今回も字数を大きくオーバーしているので、それについてはまた機会があれば論ずることにし、今回は最後にCOVID-19問題におけるトルコの地政学的意味について述べて終りにしましょう。

実は突然のCOVID-19問題の発生で棚上げになっていますが、直前までトルコとEUとは難民問題をめぐって一触即発の状態にありました。というのはエルドアン大統領が2月末に難民がトルコ経由でEUに向かうことを容認する可能性を示唆したため、ギリシャと接するトルコの国境地帯に多くの難民が集まり、それを背景に3月2日エルドアン大統領はドイツのメルケル首相と会談し、「ヨーロッパ移民対応の負担を公平に分け合う必要がある」と述べ、「トルコの対ギリシャ国境地帯にいるアフガニスタン、シリア、イラクなどからの難民は数十万人に達しており、間もなくその数は数百万人に上りヨーロッパに向かうことになるだろう」と警告しましたが、メルケル首相はこのトルコの動きを受け入れ難いと拒否したからです。

その後、ヨーロッパやトルコでもＣＯＶＩＤ－19が蔓延し、各国が出入国管理を厳格化したため難民の動きも一時的に止まっていますが、４００万人を超える難民がトルコの経済を圧迫していたところに、更にＣＯＶＩＤ－19の蔓延で経済が麻痺した上に新たに医療の負担が加わり、難局に立つトルコはいつ難民にヨーロッパへの門戸を開くか分かりません。ところがトルコでは難民のほとんどはキャンプの外に居住していますが、２０１９年の報告書によるとシリア難民の45％が貧困、14％が極度の貧困の中で暮らしており、５歳未満の子どもの約25％が栄養失調に陥り、難民の５人に１人は清潔な飲料水を利用できず、３人に１人が衛生用品を利用できていません。ＣＯＶＩＤ－19は劣悪な環境では感染し易いことが知られています。劣悪な環境に暮らす難民の感染状況は把握が困難ですが、人口比から考えると７０００人はいるものと考えられます。

一方で興味深い記事があります。外科医でガズィアンテップ前市長でもあるギュゼルベイ教授によると、ガズィアンテップとハタイに分散した難民キャンプには約80万人のシリア人が暮らしているが、彼らの多くはコロナウイルスに感染したことに気付かないまま、１月から２月にかけ通常のインフルエンザに罹ったと思い込んでいる間に、ウイルスによる集団免疫を獲得することができました。

シリア人による新型コロナウイルス感染は３月以来11例しか記録されておらず、罹患者のうち9人は治療を受けた後すでに回復しており、残る2人に対しては依然として治療が行われていますが、5月9日の時点ではガズィアンテップ市では新型コロナウイルスによる死亡者はいません。

ガズィアンテップ、ハタイの難民キャンプで暮らすシリア難民はトルコ在住の難民の5分の1ですので、その例からトルコの難民全体の状況を類推することはできませんが、難民問題については重要なのは事実よりも風評です。『タイム』誌が、4月19日付で「シリア難民、ヨーロッパ、コロナウイルスに次に何が起きるか」とヨーロッパのシリア難民問題とコロナウイルス問題を結びつける記事を書いています。次にヨーロッパでシリア難民問題が再燃する時にはCOVID-19が連想されることになるのは間違いないでしょう。

日米も含む世界的な排外主義の流れの中で、ヨーロッパでは特にシリア内戦により約百万人の難民が押し寄せた2015年の「難民危機」以来、イスラームフォビアを中核とする極右民族主義、排外主義が急速に顕在化していましたが、COVID-19がそれに拍車をかけました。コロナ感染の拡大がまだ東アジアにほぼ限定されていた2月頃から欧米では日本人を含むアジア系への差別や暴行が問題になっていましたが、トルコからギリシャに向けて難民が移動し始めていたタイミングでもあった結果、その風潮はそれまでも火種になりやすかった中東出身者やムスリムにもすぐに波及しました。

現時点では先行きは不透明ですが、COVID-19が数か月で完全に収束するとは思えません。トルコがCOVID－19対策に失敗し、トルコ・中東難民が「COVID－19」汚染者であるとの風評被害が広まり、エルドアンの警告通りに数百万人の難民がトルコからヨーロッパに向かうことになれば、ただでさえ緊張が高まっていたトルコ・ヨーロッパ関係は修復不可能なまでに悪化し、それはムスリム世界全域に及ぶことになりかねません。しかしそれについては機会があればまたお話しすることができればと思います。

書簡Ｂ

権威主義国家トルコとコロナ

飯山陽

「世界最速で感染者が増加している国」

２０２０年に入り、瞬く間に全世界に拡大したコロナウイルス感染は、中東諸国にも大きな被害をもたらしています。

２０２０年5月現在、中東諸国の中で最も多くの感染者数を記録しているのがトルコです。トルコの公式発表によると、同国で初めてコロナ感染者が確認されたのは3月11日でした。他国からかなり遅れて感染が確認されたにもかかわらず、その後トルコの感染者数は急増し、4月には感染者数で世界7位となり、英『ガーディアン』紙は7日、トルコを「世界最速で感染者が増加している国」と描写しました。

トルコのメディアでは当初、「イスラエルがコロナウイルスを作ってばら撒き、その後で世界にワクチンを売りつけて儲けようとしている」といった陰謀論や、「トルコ人の遺伝子はコロナウイルスに強い」「トルコは清潔なので感染が広まらない」といったトルコ優越論が取り上げられました。エルドアン大統領は3月26日、「トルコは2〜3週間でコロナを打ち負かせる」と楽観的な見方を示し、3月31日には「トルコはどんな状況下でも生産を続け、そして（経済の）車輪を回し続けなければならない」と演説、改めて経済最優先の方針を明らかにしました。

しかしエルドアン氏の楽観を裏切るように、感染者の急増は続きました。コロナ感染者増大で改めて露見したトルコの問題は、第一に権威主義体制であるがゆえの脆弱性、第二に新オスマン主義といわれる拡大路線の独善性です。

権威主義体制ゆえの問題

トルコでは2017年4月の国民投票で、大統領に実権を集中させる憲法改正案が賛成51％という僅差で承認され、2018年の大統領選で再選されたエルドアン氏が強大な権力を有する体制に移行しました。大統領は行政の長であるだけでなく、閣僚や副大統領の任命権、非常事態の発令権、国会の解散権なども有し、判事の任命権を有することによって司法にも、そして与党党首として立法にも大きな影響力を及ぼすことになり、内外から独裁化だという批判の声が上がりました。

しかしエルドアン氏の「独裁」化を容認したのは、あくまでもトルコ国民です。背景には2016年のクーデター未遂があり、少なくとも国民の過半数は、「強い大統領」の下で団結することを選択したのだと言えます。

「民主的」な承認を経て「独裁者」となったエルドアン氏は、クーデターの背後にいるのはギュレン派だと断定、ロイター通信によるとこれまでにギュレン派との関係が疑われた8万人以上が拘束、公務員や軍人15万人以上が解雇されました。

ギュレン派はインテリ層が多いことで知られており、拘束されたり解雇されたりした人々の中には医師や看護師、大学の医学部教授など医療関係者も多くいました。ボストン大学のアルティンディティス博士は4月の『ニューヨーカー』のインタビューで、人口1000人あたりの医師数がOECD諸国平均で3・5人であるのに対し、トルコが1・9人と最も少ない理由としてギュレン派の粛清をあげ、トルコにおけるコロナ禍の深刻化を招いたのは権威主義体制だと批判しました。

エルドアン氏は報道規制やジャーナリストの拘束でも知られています。同氏に批判的だった新聞社やテレビ局の多くは既に閉鎖させられたり、同氏に近い人物によって買収されたりしました。

コロナウイルスについての報道でも、少なくとも7人のジャーナリストが拘束されました。

国際NPOジャーナリスト保護委員会（CPJ）は、トルコで投獄されたジャーナリストは2018年には68人、2019年には47人だったと発表、2019年には国際人権NGOアムネスティがトルコを「ジャーナリストにとって世界最大の監獄」と非難する声明を出しました。

進行する独裁化

規制は、一般市民にも及んでいます。3月29日には、「オレを殺すのはウイルスじゃなくあんたの政権だ」と批判するビデオをTikTokに投稿したトラック運転手が拘束され、4月1日には政権批判で知られるツイッターアカウントの所有者3人がテロ容疑で拘束されました。国境なき記者団は、少なくとも385人がこうした政府批判をSNSに投稿した容疑で拘束されたとしています。ツイッター社は2014年以来、最も頻繁にツイート削除を要請している国のひとつとしてトルコをあげています。

国際NGOフリーダム・ハウスのシェンカン氏は、トルコ当局は政権批判を封じ込めるために捜査権、検察権の濫用を続けており、透明性、説明責任、正確な情報共有が要となるコロナウイルスという公衆衛生上の問題に際しては、この傾向は非常に危険であると指摘した上で、トルコが長年強化してきた権威主義体制を批判しています。

4月には英『ザ・タイムズ』紙が、複数の研究者の見解に基づき、トルコのコロナウイルスによる死者数は公式発表よりはるかに多い可能性があると報じました。トルコの医師会は政府に感染者についての詳細なデータを要求したものの返答がない、としています。

トルコ議会は感染予防策として約９万人の囚人の一時釈放を認める法案を可決しましたが、ジャーナリストや人権活動家を含む政治犯約５万人はその対象外とされ、欧州議会やアムネスティなど国内外から非難の声が上がりました。一方、家庭内暴力や性犯罪で収監されていた受刑者は、人権団体などから強い反対があったにもかかわらず釈放されました。懸念は現実となり、妻を刺した罪で収監されていた33歳の男が、一時釈放されてから数日後に９歳の娘を殴りつけて殺害する事件が発生、女性や子供がさらなる暴力の犠牲になる危険性が高まっています。

コロナ感染の予防措置としては、医師でもあるコジャ保健相や最大都市イスタンブールのイマモール市長、野党政治家、医師会、科学者らがたびたび都市封鎖を提言・要請しましたが、３月18日に「全ての予防措置を講じた」と発表したエルドアン氏がとったのは、休日のみの封鎖という限られた措置でした。

トルコは２０１８年にトルコショックと呼ばれる通貨危機を経験し、現在も通貨安、債務増加、外貨準備高減少、失業率上昇など経済的に脆弱な状態が続いています。エルドアン氏が経済最優先路線を貫く以上、都市封鎖といった甚大な経済的ダメージが伴う措置がとられることはありません。

エルドアン氏は4月半ばにコロナとの戦いをより効率的に進めるためとして、議会を45日間停止すると発表、野党共和人民党（CHP）のクルチダルオール党首はこれを「エルドアン氏の独裁的統治の結果」であり「コロナ禍を利用した立法権への干渉だ」と批判しました。エルドアン氏の独裁化は、現在もなお進行中です。

新オスマン主義とは何か?

第二の問題としてあげた新オスマン主義とは、かつてオスマン帝国が支配した中東・アフリカ地域を中心に現在のトルコ共和国の影響力を強化し、世界大国として覇権を握ることを目指すトルコの政治イデオロギーです。トルコはこれに基づき、宗教的、経済的、政治的、軍事的拡張政策を続けてきました。

「イスラムの盟主」を標榜し、世界各地に「メガ・モスク」と称される巨大モスクを次々と建設しているのに加え、トルコから指導者を派遣しているのもその一環です。これは、かつてスレイマン大帝（1566年没）をはじめとするオスマン帝国の支配者たちが、征服した地にモスクを建設し、帝国の威信の証としたことの模倣とも言われています。エルドアン氏が2014年、「我々はスレイマン大帝の子孫である」と述べたのは、彼がオスマン帝国の最盛期をもたらした同大帝を強く意識していることの現れです。東京の代々木上原にある「東京ジャーミイ」も、こうしたモスクのひとつです。

モスクは信仰だけではなく、政治活動の拠点ともなります。エルドアン氏はしばしばヨーロッパのモスクを訪れ、在欧トルコ人に「同化などするな、トルコ文化を守れ」「子供を５人作ってヨーロッパに報復せよ」などと呼びかけてきました。２０１９年６月の来日時には、日本で今もギュレン派が活動を続けていることを非難した上で、在日トルコ人に対し、「子供はトルコ文化に従って育てなければならない」と要請しました。

オーストリア、フランス、ドイツなどは、トルコ系モスクが国の分断を進めイスラム教徒の過激化とテロの温床になっていると判断し、２０１８年頃から徐々にトルコ系モスクを閉鎖したり、トルコからの指導者受け入れを禁じたりする措置に踏み切っています。

トルコはカシミール問題、ミャンマーのロヒンギャ問題などに積極的に干渉しているだけでなく、内戦中のシリアやリビアに直接的軍事介入も行っています。

２０１１年の内戦勃発以来、トルコはシリア北部にたびたび軍事侵攻しています。第三書簡「トルコ、クルド問題をめぐって」で取り上げた、２０１９年10月のトルコによるシリア侵攻もそのひとつです。

現在もシリア北西部イドリブの占拠を続けているトルコは、コロナ禍が深刻化した２０２０年４月になっても次々と兵士や車両をシリア国内に送り込み、監視所を増設しているとシリア人権監視団が伝えています。トルコはシリアへの軍事介入の目的について「テロとの戦い」だと主張していますが、シリア政府は内政干渉だと非難しています。シリア人権監視団はトルコ軍の攻撃によって多くのシリア市民が犠牲となり、数百万人規模の避難民が発生していると報告している他、地元メディアはトルコ軍が浄水場をコントロールしクルド人住民への水の供給を複数回にわたり意図的に停止していると伝えています。

新オスマン主義の一里塚　リビア・シリア

リビアでは、内戦の一方当事者であるトリポリを拠点とするサラージュ派と2019年末に軍事・安全保障協定を締結し、トルコ軍を派遣してトブルクを拠点とするハフタル派との戦闘を続けています。加えてトルコは、シリア人1万1000人を傭兵としてリクルートしてリビアでの戦闘に投入し、うち261人は既にリビアで戦死したと5月にシリア人権監視団が伝えています。

リビアへの軍事介入の目的についてもトルコは「テロとの戦い」だと主張していますが、トルコの狙いは東地中海にある巨大ガス田だと言われています。実際にトルコはサラージュ派と東地中海で排他的経済水域についての協定を締結し、資源の共同開発を進めると発表しています。

ハフタル氏は「トルコはかつてオスマン帝国支配下にあったリビアを再度支配しようとしている」とエルドアン氏の占領政策を非難、トルコを警戒するUAEやエジプトなどがハフタル派への支援を強化し、事態はトルコの思惑通りには推移していません。4月末にはトルコのドローン攻撃により少なくとも4人のリビア市民が死亡したとAP通信が伝えるなど、トルコの掲げる「テロとの戦い」という名目とは異なる様相を呈しているのが実情です。

シリアとリビアは新オスマン主義の一里塚と見なされています。親エルドアンで知られるトルコ日刊紙「イェニ・シャファク」は2019年12月、既述のトリポリ政府との協定締結を受け、「地中海の真の支配者が戻ってきた」「オスマン帝国の再来だ」とトルコの影響力が地中海南部にまで及んだことを絶賛しました。

しかし国際的には、トルコは多方面から批判されています。シリアでアルカイダ系組織が残存しているのも、2019年10月「イスラム国」指導者バグダーディーが米軍作戦によって死亡したのも、トルコが軍を駐留させ治安を維持していることになっているはずのシリア北西部イドリブです。またトルコがリビアに送り込んでいるシリア人傭兵の一部はいわゆるジハード戦士であり、トルコがリビアで連携しているのもジハードを掲げるイスラム武装組織です。トルコはイスラム過激派と連携している、と批判される所以です。

またトルコが2月末、難民に対してギリシア国境を解放し、10万人以上がギリシア側に押し寄せたことに対しても、トルコは難民を政治的な切り札として使っているという非難が世界中から起こりました。「難民カード」を切ることによってEUに圧力をかけ、リビアやシリアへの軍事侵攻や東地中海のガス田開発について、EUの支持や資金援助を取り付けるためだろうと見られたからです。

エルドアンは「希望の光」か？

エルドアン氏は新オスマン主義的な野心を隠すことはありません。2019年9月にはニューヨークで、「我々はいつの日か、イスラム世界を、そして世界政治を率いることになる」と演説、11月には、自分の求める大統領制はヒトラー政権だと発言、12月には「我々はサマルカンドからコルドバに到る偉大な文明を構築した国家の末裔だ」と演説しました。

コロナウイルスのパンデミックに際しても、未だその野心に陰りは見られません。エルドアン氏は4月20日には「自立した国であるトルコは、国際組織が意味を失う時にその力を誇示することになるだろう」、28日には「世界の変化は、我が国に新しく大きなチャンスの窓が開きつつあることを示している」と述べました。

既出のトルコ日刊紙イエニ・シャファクは3月27日、西側世界の政治、金融、安全保障システムはコロナ禍によってすべて崩壊し、新たな政治秩序、新たな超大国が出現する、トルコはコロナ後に勃興する国のひとつとなるだろうというコラムを掲載、エルドアン氏の賛美を続けています。

中田先生は第三書簡「トルコ、クルド問題をめぐって」で、様々に論点をずらしながら、トルコのシリアへの軍事侵攻を擁護しました。

また橋爪大三郎氏との共著『一神教と戦争』（集英社新書、2018年）においても、「トルコがやろうとしているのは、私はカリフ制再興だと思っています」「トルコはイスラーム世界の盟主を目指しています」「イスラーム世界でいちばん人気があるのはエルドアンですから、本当に民主的に選挙をやれば彼がカリフになると思います」などと記し、トルコとエルドアン氏を極めて高く評価しています。カリフ制再興を目指し活動する中田先生にとって、エルドアン氏はその「夢の実現」に最も近い、一筋の「希望の光」のように見えているのかもしれません。

しかしたとえ中田先生にとってエルドアン氏率いるトルコが「希望の光」であったとしても、アラブ・イスラム諸国にとってトルコは中東を不安定化させる「厄介者」です。

例えば２０２０年３月には、アラブ諸国の外相たちが共同で、シリアとリビアに対するトルコの軍事介入を非難し、トルコ軍撤退を要請する声明を出しました。トルコ軍と戦うリビアのハフタル派は、同じくトルコ軍と戦うシリアの首都ダマスカスに大使館を開設し、共に対トルコで協力していこうと誓いました。既にダマスカスの大使館を再開させているアラブ首長国連邦が、両国の後ろ盾となっています。

少なくともアラブ・イスラム諸国は、エルドアン氏の新オスマン主義的拡張政策に対して強い警戒心を抱いており、トルコを軍事的、政治的、外交的脅威と位置付けています。エルドアン氏率いる公正発展党（ＡＫＰ）がアラブ諸国でテロ組織指定されているムスリム同胞団と「兄弟」関係にあり、トルコが同胞団員を手厚く保護しているのもその理由のひとつです。

アラブ諸国にとってトルコとイランは、中東地域の安定を脅かす二大要因です。

こうした実態を一切顧みず、闇雲にトルコを高く評価しエルドアン氏を理想視するのは、客観性を旨とする研究者の仕事ではなく、あくまでも「トルコ贔屓のエルドアン・ファン」によるカリフ制再興活動の一環と評されるべきです。

危機に対応できるのは権威主義か、自由主義か

シリアでもリビアでも、トルコの軍事介入はエルドアン氏が想定していたような成果をあげてはいません。経済難から抜け出せず軍事的拡張路線も軌道に乗らないまま、トルコはコロナ禍を迎えました。

パンデミックに際し、世界では早くも、権威主義と自由主義のどちらがより効果的にこの危機に対応できるか、という議論が起こっています。

代表的な権威主義国家と言える中国は、自由主義諸国はコロナウイルスを封じ込める効果的な措置がとりにくいと指摘しました。しかし中国が本当にコロナウイルスに適切に対処したかについては、米英仏など主要な自由主義諸国の首脳陣が次々と疑念を示しました。中国当局は自らのコロナ対応の卓越さを誇張する目的で死者数や感染者数を故意に低く発表しているのではないか、という疑いも持たれています。

中国と同じく権威主義体制下にあるトルコもイラン（第八書簡参照）も、コロナ封じ込めと

は程遠い状況にあり、この両国が中東諸国では最も多くのコロナ感染者、死者を出しているのが実情です。少なくとも現段階では、コロナのような危機に対応するにあたっては権威主義のほうが自由主義よりも効率的で効果的であるとか、これは権威主義が優位であることの証だ、などと結論づけるのは時期尚早です。

経済最優先、都市封鎖回避というエルドアン氏のコロナ対策について、エコノミスト・インテリジェンス・ユニットは、「メンツを保ったつもりかもしれないが、投資家は評価しないだろう」と厳しい見方を示し、トルコがＩＭＦの支援を断ったことも批判、通年でトルコの景気後退を予測しています。またトルコの経済学者５人は４月、当局が中国式の完全な封鎖に踏み切ればＧＤＰの低下を７・８％に抑制できるが、このままではトルコの景気は17％収縮するという予測を発表、イスタンブール経済研究所も、１月に13・８％だった失業率はコロナの影響でより上昇するだろうと予測しています。

三菱ＵＦＪ銀行は２０２０年の１年間にトルコ・リラが18％下落すると予測しました。２０１６年には１ドル３リラ程度だったのが、２０２０年５月に入り既に１ドル７リラにまで落ち込んでいます。インフレの大幅な進行も予測されます。

トルコ経済は観光にも大きく依存しています。２０１９年のトルコの観光収入は３４５億ドルで、エルドアン政権は２０２０年には４５０億ドルになると見積もっていましたが、パンデミックにより現実にはそれを大きく下回ることが予測されます。

こうした予測はいずれも、エルドアン氏が奇跡的にパンデミックをうまく乗り切ったとしても、トルコ経済の見通しが非常に厳しいことを示しています。

２０１９年３月に実施された統一地方選挙で、エルドアン氏率いる公正発展党は三大都市イスタンブール、アンカラ、イズミールの市長選で全敗しました。この時は、２０１８年通期で20％を超えたインフレ率、通貨リラの前年比３割の下落、景気後退（リセッション）といった重層的経済難が敗北の主要因とされました。

トルコでは２０２３年に、次の大統領・国会選挙が予定されています。２０２３年はトルコ共和国建国から１００年という節目の年でもあります。

現在、三権を掌握しメディア王としても君臨、さらに独裁化しつつあるエルドアン氏が、自らの有する絶大な権力をトルコ国民と経済の救済のために「適切に」行使するのか、それとも独善的な保身と新オスマン主義的拡張政策を継続し、コロナ対策で大きく道を踏み外し破滅へと突き進むのか、あるいはエルドアン氏の思惑通りトルコが中東の、さらには世界の覇権国家となり、中田先生の願うようにエルドアン氏がカリフとして君臨する日がやってくるのか、答えはまだ出ていません。

最終書簡

インシャーアッラー
それぞれの
結語として

書簡A

戦わなければ現状は打開できない

飯山陽

明らかになった主張の違い

ここまで9本の書簡を通して、中田先生と私の主張の違いは明らかになったと思います。一般にあるテーマについて、二人の研究者の主張が異なる場合、その理由は各々の主張の立脚する根拠の違い、方法論や解釈、理解の違いに求められることが多いと言えます。しかし中田先生と私の場合、両者がほぼ全てのテーマについて全く異なる見解を示しているのは、立場の違いに起因するところが大きいと言えるでしょう。

私は女性であり、非イスラム教徒です。博士号はとりましたが、大学に籍をおかず学会にも属さず、肩書も権威もない、いわばフリーランス研究者です。

一方の中田先生は男性であり、イスラム教徒で、「同志社大学神学部元教授」という立派な肩書をお持ちです。しかもメディアにおいてしばしば、「日本におけるイスラーム学の第一人者」として紹介されています。

しかし中田先生を単に「研究者」として紹介するのは、語弊があります。なぜなら中田先生は何よりも第一に、カリフという唯一の指導者がイスラム法によって世界を統治する「カリフ制」の再興を目指す、という明確な政治的目標を掲げ、それを広める活動にいそしむ「活動家」だからです。

内田樹氏との共著『一神教と国家』（集英社新書、２０１４年）において中田先生は、中東などでは「うかつに体制を全否定するカリフ制のことなど口走ったら大袈裟ではなく本当に生命が危険です。しかし、日本はイスラームに関しては中立ですから何でも言えるのです」「で、日本をカリフ道の発信地にしようとたくらんでいるわけなのです」と述べています。ご自身でこう述べているのですから、間違いありません。中田先生の「たくらみ」、先生にとっての「優先順位」は明らかです。

ですからこの往復書簡に納められた中田先生の原稿を含め、先生の全ての発言、あらゆる記述は、日本にイスラム教の素晴らしさを広めるため、カリフ制再興という目標実現のための活動の一環であると認識されるべきです。

「カリフ」という日本人にほとんど馴染みのない、あるいは「世界史で聞いたことがある程度」の用語のせいで、カリフ制の危険性は日本人に認知されにくいように思います。カリフ制とはすなわち、イスラム絶対体制です。それを採用し実践しているのが「イスラム国」です。第二書簡では中田先生自身も、「私がイスラーム国に足を運んだのも、移住する前提」だったと述べています。少なくとも制度的、外形的には、「イスラム国」は中田先生の目指す「カリフ制再興」を既に実現させている、イスラム絶対体制の具現者です。

中田先生はカリフ制再興、つまりイスラム絶対体制の実現を目指すイスラム教徒ですから、日本人に対して、とにもかくにも「イスラム教は素晴らしい」と主張しなければなりません。日本では言論の自由が広く保障されているので、「カリフ制再興！」と叫んだり訴えたりしても、逮捕されることはありませんが、この自由は世界中で享受できる類のものではありません。

第七書簡で記したように、カリフ制というのは民主主義にも自由主義にも世俗主義にも反するイスラム絶対体制です。それは中田先生自身がお書きになったように、既存の「体制を全否定する」ものです。ですからその危険性を熟知した国々では、カリフ制再興を目指す活動は国家転覆を目す極めて危険な犯罪行為と認定されます。加えてカリフ制再興を実現させた「イスラム国」は、多くの国々が今現在もそのテロ攻撃に晒され、実際に戦火を交えている相手でもあります。敵のイデオロギーがあたかも正義であるかの如く公に宣伝する活動が、認められるわけがありません。

普遍的人間性か、イスラム的人間性か

中田先生が研究者というよりは活動家であることは、第二書簡において、カリフ制の基本は「ヒューマニティーと法の支配」だと述べ、賛美していることからも明らかです。ここで唐突に「ヒューマニティー」というカタカナ化した英単語を登場させたのは、日本語では出せないぼんやりしたプラス・イメージを漂わせることで、カリフ制と聞いてもピンとこない読者に対し、カリフ制は「なんとなく素晴らしい」という印象を与えるためでしょう。新奇な「横文字」単語の使用は、意味をぼやかしたり、相手の目を真実からそらせて誤魔化したり、印象操作をしたりする上で効果的です。

私のように、「カリフ制とは要するに『イスラム国』が採用している制度である」と説明すれば、それを「なんとなく素晴らしい」と思う人はほとんどいないでしょう。だからこそ、中田先生によってカリフ制を説明するために採用されたのがこの「ヒューマニティー」という英単語なのだと考えることができます。

ヒューマニティーとは「人間性」の意味です。何をもって人間性とするかについては様々な考えがあるでしょうし、全人類に共通する「普遍的人間性」というものがあると主張する人もいれば、ないと主張する人もいます。

たとえば私は、人間は誰しも「殺されたい」とも「拷問されたい」とも「虐待されたい」

とも「奴隷にされたい」とも「差別されたい」とも「飢えたい」とも「貧困状態に陥りたい」とも思わないというのは、一定の普遍性を持った人間性だと考えます。

イスラム絶対体制で採用されるイスラム法においては、神への絶対服従が全ての基本となります。イスラム教では人間は生まれつき全員がイスラム教徒なのだと考えるので、人生の全てにおいて神に絶対服従し、神に命じられたことを理由など問わず遂行する、それこそが正しくイスラム的な人間性だと言えます。イスラム教において重要なのは、普遍的人間性ではなく、イスラム的人間性です。

イスラム法は、人間としての本性から外れた非イスラム教徒を敵と認定し、それと戦い、殺害することをイスラム教徒の義務と定めます。イスラム法が「殺人はよくない」という普遍的人間性に立脚しているならば、特定の人間集団を敵と見なし、戦争を義務付けたりはしません。しかしイスラム法は非イスラム教徒を「悪」と規定することで、非イスラム教徒の人間性を否定し、殺害対象と認定します。「イスラムか、非イスラムか」という、典型的な二分法です。

中田先生はカリフ制の基本はヒューマニティーだと主張することにより、あたかもそれは普遍的人間性を前提としているかのようにほのめかしていますが、イスラム法が立脚しているのはイスラム教徒だけに完全な人間性を認め、非イスラム教徒の人間性は否定するという二分法に基づく、極めて特殊な倫理観です。カリフ制が普遍的人間性たるヒューマニティーに立脚しているならば、あらゆる殺人、あらゆる差別が禁じられるはずです。つまり明らかに、イスラム法は普遍的人間性を否定しているのです。

近代法による支配と神の法による支配

「法の支配」というのも、近代的で秩序がありそうな、なんとなくプラスの印象を受けますが、イスラム絶対体制における「法の支配」とはすなわち「神の法（イスラム法）の支配」であって、近代法の支配とは全く異なります。

たとえば日本国憲法前文は、主権は国民に存すると定めますが、イスラム法の主権者は神です。イスラム法支配下では、人間には立法する権利もなければ、法を部分的にでも無効にしたり修正したりする権利もありません。

日本国憲法第14条はすべての国民が法の下に平等であるとし、性別による差別を禁じていますが、イスラム法は非イスラム教徒をイスラム教徒の下、女性を男性の下に位置づけます。『コーラン』第98章6節には「啓典の民の中の不信仰者、多神教徒は地獄の火に中に永遠に住む。これらは、衆生の中最悪の者である」、第9章29節には「神も終末の日も信じない者たちと戦え。神と使徒から禁じられたことを守らず、啓典を受けていながら真の教え（イスラム教）を認めない者たちには、かれらが進んで人頭税を納め屈服するまで戦え」とあり、第2章228節には「男は女より一段上位である」とあるからです。

日本国憲法第18条は奴隷を禁じていますが、イスラム法は奴隷を認め、女奴隷との性交も認めます。『コーラン』第23章5～6節に「自らの陰部を抑えよ、ただし己の妻たちや右手の所有にかかるもの（女奴隷）を相手にする場合はかまわない。その場合には咎められることはない」とあるからです。

イスラム法は「イスラム教徒だけに完全な人間性を認める」と前述しましたが、より正しくは「成年自由人男性イスラム教徒だけに完全な人間性を認める」と言うべきでしょう。イスラム法は宗教や性別に基づく差別も奴隷制も正当化する、民主主義と全く相容れないシステムです。

日本国憲法第20条は信教の自由を保障していますが、イスラム法はイスラム教に入信する自由だけを認め、棄教する自由は認めません。『コーラン』第3章90節に「一度（イスラム教を）信仰した後で不信仰になり、不信仰を増長した者は、悔悟しても決して受け入れられない」とあるからです。ブハーリーの『サヒーフ』には、預言者ムハンマドの「宗教（イスラム教）を変更した者は殺せ」というハディースが収録されています。

日本国憲法第21条は言論の自由、表現の自由を保障していますが、イスラム法は神や預言者ムハンマドを風刺したり悪く言ったりする人を厳罰に処します。『コーラン』第33章57節に「神と使徒に害なす者は、この世でもあの世でも神の呪いを受ける」とあるからです。

これらはイスラム法が近代法とは全く異なることを示す、ほんの一例にすぎません。そこにあるのは完全な神中心主義であり、それは人間理性によって人間中心主義的に築き上げられてきた近代的価値観とは矛盾します。

カリフ制は普遍的人間性を否定する

私はもう20年以上、イスラム法の研究をしてきました。そして「イスラム国」の研究も続けてきました。その私から見て、２０１４年にカリフ制再興を宣言した「イスラム国」はかなりの程度、上述のようなイスラム法を文字通り施行していると言えます。「イスラム国」が後藤健二氏と湯川遥菜氏という日本人二人を惨殺しただけでなく、世界中でテロを起こし、数万人の人々を殺害し、数百万人の人々の家や生活を奪い、女性を性奴隷にし、同性愛者を処刑し、異教徒を二級市民に貶めてきたことは、日本でも知られている通りです。これがイスラム的「ヒューマニティーと法の支配」の実態です。

しかし中田先生は「イスラム教は素晴らしい」「カリフ制こそ解決」と日本人に思わせるのが目的ですから、論点をたくみにずらし、問題をすり替えます。中田先生が移住目的でわざわざ足を運んだ「イスラム国」は、日本におけるイメージが悪いので、中田先生の論の中ではいつの間にかなんとなく「正しいカリフ制の体現者ではない」ことになっており、中田先生の言う通りに世界が進めば、中田先生の頭の中だけにある「理想的カリフ制」が実現されることになっています。狐に化かされたような、面妖極まりない主張です。

『往復書簡』における中田先生の文章は晦渋さと曖昧さに満ち、冗長で要を得ませんが、私は基本的にこうした文章を一切信用しません。はっきりとした論旨、明晰な言葉遣い、端的さや率直さに欠ける文章からは、読者を煙に巻く欺瞞の意図を強く感じとるからです。

中田先生の文章が「わからない」のは自分が悪いのだと思い、「わかったつもり」を装う必要などありません。「わからない」は、全く恥ずかしいことではないからです。曖昧な文章はどこまでいっても曖昧であり、それを「わかる」ことなどできないのです。

しかし日本人のなかには「わからない」のか「わかった」のか「わかったつもり」なのかはわかりませんが、中田先生の主張について「素晴らしい」「その通りだ」と感激する人もいるようです。中田先生を「偉人」として歓迎する日本の言論界や、イスラム絶対体制の危険性をほとんど誰も知らないという日本の特異性、それに日本で限りなく広く保障されている表現の自由を存分に生かし、公の場でカリフ制再興活動を展開しているのが中田先生です。

中田先生は「皆んなのカワユイ（>◇<）カリフ道」家元を自称し、ラノベやマンガ、ゲームなど、敷居を下げた「ゆるく」「やさしい」やり方でカリフ制の素晴らしさを広める活動を展開しています。内田樹氏、高橋源一郎氏などの著名人も、中田先生やその著作を「面白い」「ユニーク」などと言って絶賛しています。

しかし私には、どこが「カワユイ」でどこが「面白い」のか全く理解できません。非イスラム教徒の女である私にとっては、イスラム絶対体制であるカリフ制など、ただ恐ろしいだけです。中田先生が様々な媒体において自己愛的文章でカリフ制を賛美し、一部の人々がその中田先生を称賛するという構造を目にするたびに、私は恐ろしくてなりません。内田樹氏や高橋源一郎氏など中田先生を絶賛する人々には、カリフ制再興の暁には、自分が殺されるか、奴隷にされるか、二級市民に貶められるという認識など全くないのでしょう。

カリフ制は普遍的人間性を否定します。ゆえにもしカリフ制が再興されたとしても、そこに普遍的正義が実現されないのは明白です。しかし中田先生はその事実を否定します。カリフ制の素晴らしさを喧伝しその実現にむけて活動するのが中田先生の使命なら、カリフ制で全人類が救われることなど決してないと主張し続けるのが私の使命です。

「イスラームによる近代の超克」イデオロギー

第一書簡で中田先生は、大学で最初にイスラームについて受けた講義は文化功労者でもある板垣雄三・東京大学名誉教授のものであるとした上で、板垣氏は「イスラームが学ぶに値するもの」であり、「イスラームは西欧キリスト教的偏見を排することで合理的に理解可能である」と世に示してきた、と高く評価しています。

しかし私は板垣氏の著作から、西欧キリスト教世界に対する強烈な憎しみと、極度にイスラム教やイスラム教徒、イスラム世界を理想視する「イスラム的偏見」の傾向を読み取ります。西欧キリスト教的偏見を排しておいて、イスラム的偏見という別の偏見にどっぷりと漬かる様を、研究として「進んだ」と評価することは、私にはできません。

板垣氏は著書『イスラーム誤認』（岩波書店、2003年）の中で、「現在、索漠たる現実に覆い尽くされた世界が最も必要としているもの、それはタウヒードの論理なのではないか。タウヒードは、今日、近代性の行き着いた隘路を打開する『スーパーモダン』原理として眺めなおすことができるだろう」と述べています。板垣氏はタウヒードを、「イスラームの最も基本的な立脚点」であり、「一つにすること、一と数えること、神の唯一性の確信」の意味で、「多元主義的普遍主義」だと説明します。要するにこれは、「イスラームこそが近代を超克する」という「イデオロギー」です。

「板垣イデオロギー」に通底するのはもうひとつ、日本に対する強烈な嫌悪、憎しみです。2012年8月4日に東京大学東洋文化研究所で実施された公開インタビューでは、「植民地主義、人種主義、軍国主義、男中心主義という世界史の中での悪性腫瘍的な展開」は、もっぱら「ヨーロッパと日本」のせいだと明言しています。そして、日本の「植民地主義性、人種主義性、軍国主義性、男中心主義性」は欧米中心主義と重なり合っており、「敗戦後の天皇制」もまた欧米を真似た「欧米中心主義的な天皇制でしかない」と批判しています。

「日本は欧米と並ぶ近代世界の悪の元凶であり、イスラームによってそれを超克できる」という「板垣イデオロギー」は、現在の日本の中東イスラム研究者の中にも脈々と受け継がれています。中東イスラム研究業界においては、中東やイスラム教の現実を客観的に分析することより、研究者という立場を利用し、「板垣イデオロギー」に代表されるようなイデオロギーを積極的に発信していくことが優先されています。彼らはそのイデオロギーにあまりにも強くとらわれているために、物事のあるべき優先順位が入れ替わってしまっているという自覚すらないように見えます。

私は今回の往復書簡という試みを通し、中田先生もまた「板垣イデオロギー」の最も正統な継承者のひとりと言えるだろうという確信を強めました。第一書簡で中田先生は、「私の方法論的前提は飯山さんだけでなく、日本の、いや日本だけでなく、世界の全てのイスラーム研究者と違っている」と独自性を強調していますが、私には全くそうは見えません。

中田先生の目標とするカリフ制再興はまさに、板垣氏の言う「イスラームによる近代の超克」そのものです。

イデオロギーを投影し、主張するための道具

「日本に対する嫌悪」に関しても、中田先生は第四書簡で次のように述べています。

日本によってインドネシアを含むマレー・イスラーム世界が軍事的に占領され植民地化され、神道の天皇崇拝を強制されたのは、古老たちの記憶に残るリアルな「事実」です。私たちは、東条内閣の閣僚としてＡ級戦犯の被疑者になり公職追放になった岸信介の孫

で、彼を尊敬すると公言し、靖国神社に参拝し、戦争放棄と戦力不保持を定める憲法九条の改正を目指すと公言する人物が首相を務める国の国民であることの意味をよく考えてみる必要があるでしょう。

このように唐突に「A級戦犯被疑者の岸信介の孫」として安倍晋三首相を持ち出し、自らが「反安倍派」「反体制派」にして「護憲派」であることを表明しています。さらに次のように続けます。

精神分析では、自分自身に認めたくない欲求や感情を無意識に他者へと転嫁して自己正当化することを「投影」と言います。イスラームが過度に侵略的で危険だと見える者は、自分自身の姿を相手に投影しているのではないか、とまず自分自身を疑ってみるとよいでしょう。個人であれ集団であれ、自己の実像を直視するのは誰にも難しいものですが。

ここで再度、唐突に「精神分析」を持ち出して急に論点をずらし、イスラムを侵略的だと危険視する者は、実は自分自身が侵略的で危険な存在なのだ、と問題をすり替えます。
この主張の妥当性を推し量るには、これをそっくりそのまま中田先生に当てはめてみればいいでしょう。中田先生は常日頃、国民国家と資本主義を偶像神だと批判しているので、実は中田先生自身が偶像神であり、中田先生はその自己の実像を相手に投影していることになります。中田先生によると、自己の実像を直視するのは難しいらしいので、中田先生にとってもそれは難しいことかもしれませんが。

私はイスラム教について論じるにあたって、自らの政治的信条、イデオロギーなど持ち出すべきではないと考えます。なぜなら私は、あるがままの事実を見つめ、客観的な分析結果を一般の人々に提示するのが研究者の役割だと信じているからです。

ところが中田先生をはじめとする日本の中東イスラム研究者は概ね、私とは真逆のスタンスをとっています。中東やイスラムについて論じるという体裁で、急に日本の体制批判や、憲法九条を守れという主張を混ぜ込んだかと思うと、日本は植民地主義だとか差別主義、父権主義だといって日本への嫌悪を露わにします。その一方で、イスラム教やイスラム世界を極度に美化して理想視し、最終的には「イスラームこそが近代を超克する」と言い切ります。彼らにとって中東やイスラムは、客観的な研究、分析対象ではありません。自らの政治信条、イデオロギーを投影し、主張するための道具なのです。

私に言わせれば、これは研究者ではなく活動家の所作です。

マックス・ウェーバーは『職業としての学問』で、大学の教壇を自らの政治的信条を吐露する場、価値判断をする場としてはいけないと戒め、「指導者」や「予言者」のように振る舞う知識人を批判しました。私はウェーバーの考えに大いに賛同しますが、中東イスラム研究者はそうではないようです。私の目に彼らは、ウェーバー曰くの「知的誠実さ」に欠けているように見えます。

日本の中東イスラム研究者の「客観的事実より自分の気持ち・イデオロギー」という傾向は、中東に対する眼差しにも顕著に現れています。中田先生も第一書簡で「私自身アラブ、特に私が留学したエジプトは大嫌い」と述べ、「あくまでも印象論」としつつ、「総じてアラブ研究者はアラブが嫌い（か大嫌い）、イラン研究者はアンビバレント、トルコ研究者はトルコ大好き（か好き）」と述べています。

好き嫌いは個人の自由ですが、中東イスラム研究者の場合、それが「研究者としての主張」に直結する顕著な傾向があります。中田先生は図らずも、中東イスラム研究者に国別の好き嫌いがはっきりとあることを暴露してしまいましたが、これは彼らの発言の信頼性を損なわせるに十分です。

好きだから持ち上げ、嫌いだから貶める

日本の中東イスラム研究者には、イランとトルコに極端に阿《おもね》るような主張をする一方で、エジプトやサウジアラビアといったアラブ諸国を極端に貶める主張をするという傾向が見られます。なぜなら彼らは反米のイランとトルコが好きで、親米のエジプトやサウジが嫌いだからです。

研究者自身が好きだから持ち上げ、嫌いだから貶めるといった、そんな「研究」は一切信用に値しません。研究者の責務は「自分がどう思うか」を発信することではなく、実際に起きていることは何かを考え、分析し、自分の好悪は排して客観的事実を包み隠さず公開することであるはずです。

日本の中東イスラム研究者のイラン・トルコ好きは、中東で大きな事件が勃発するたびに露見します。第三書簡でテーマとしたトルコのシリア侵攻の際には、中田先生や日本のトルコ研究の代表格である内藤正典・同志社大学大学院教授らがトルコを全力で擁護しました。第七書簡でテーマとしたアメリカによるイランのソレイマニ司令官殺害の際には、中田先生やイラン研究の代表格である松永泰行・東京外国語大学教授や田中浩一郎・慶應義塾大学教授がイランを全力で擁護しました。すでに第三書簡、第七書簡で指摘したように、そこにあるのはトルコが正しい、イランが正しい、悪いのは欧米だというイデオロギー喧伝のみです。「トルコとイランが正しく、欧米が悪い」という結論は最初から決まっているので、事実を見つめ客観的に分析する必要などないのです。

中田先生の板垣氏譲りの「イスラム上げ」「日本下げ」は、第八書簡、第九書簡にも実に顕著に現れています。

第八書簡では、私が提案したイスラム教における異教徒差別という問題を中田先生は人種差別問題にすり替え、「彼らが西欧人・白人へのコンプレックスの裏返しとして、見かけからして違う『平たい顔の』東アジア人を見下すのは、名誉白人を気取った日本人による韓国人、中国人蔑視よりははるかに理に適っている」と、中東のイスラム教徒による日本人差別を擁護しました。

第九書簡では「トルコのコロナ対応」について、日本は「後手後手」で「医療崩壊」し、「ほとんど意味不明の自粛でお茶を濁している」のに対し、トルコは「素早く対応」し、「医療崩壊に陥っておらず」「帝国としての自負と矜持」「NATOのメンバーである存在感を示した」等と絶賛し、日本は「老人が金と権力にしがみつく老人支配の国」だが、トルコは「老人を敬い、子供を慈しむ」国である、と急に倫理観にまで立ち入り、日本への非難、嫌悪をあらわにしています。

第八書簡のテーマを選んだのは私で、第九書簡のテーマを選んだのは中田先生です。私は第九書簡で「トルコのコロナ対応」というテーマの指定を受けたとき、トルコで具体的にどのような対策がとられ、どのような問題が発生しており、それはどういった評価を受けているかなどについて、客観的事実に基づき原稿を書きました。

しかし中田先生はなぜか唐突に日本を引き合いに出し、奇妙なほどにトルコを賛美して日本を貶めています。さらに「トルコと日本を比較したついでにエルドアン政権と安倍政権を比べてみましょう」と脱線した上で、エルドアン氏を「独裁者とは程遠い」と擁護する一方、「安倍に出来るのはせいぜい花見や、学校や、マスクで身内にケチな利権を回すぐらいが関の山」と腐します。

中田先生が「トルコのコロナ対応」というテーマを選択したのは、トルコとエルドアン氏を称賛し日本と安倍首相を貶めるのが目的だったのだろうと、私は理解しました。ここにも中田先生の、「客観的事実より自分の気持ち・イデオロギー」という日本の中東イスラム研究者らしい特徴が顕著に現れています。日本の中東イスラム研究者にとって、中東イスラム研究は反体制活動の道具なのです。

日本の中東イスラム研究はイデオロギー発露の場

中田先生が見ようとしない客観的事実の例を挙げましょう。

この原稿を書いている2020年6月上旬の段階で、トルコのコロナ感染者数は約17万人であり、日本はその十分の一の約1万7000人です。なおトルコの人口は日本より少なく、日本のおよそ4分の3です。またトルコのコロナによる死亡者数は約4700人で、日本はその五分の一の約900人です。中田先生曰くの「後手後手」で「医療崩壊」しているはずの日本では、感染者数も死者数も「帝国としての自負と矜持」を持つトルコよりかなり少なく抑えられているのが現実です。

もうひとつ例を挙げましょう。中田先生はトルコを「老人を敬い、子供を慈しむ」国と高く評価していますが、トルコでは子供に対する虐待が大きな問題とされ、しかもそれは悪化しています。

２０１８年5月にはトルコのミッリイェト紙が、トルコで虐待を受けた子供の数は過去４年間で33％増加したと報じました。２０１６年から２０１７年に性的虐待を受けた子供の数は、11歳未満の少女２４８７人と少年１２４人、12歳から14歳までの少女３６８人と少年５６３人にのぼるとされています。同記事ではシリア難民の少女が持参金と引き換えに年上の男性に売られるなど、人身売買、児童買春の横行についても指摘されています。２０１８年1月には、イスタンブールの一つの病院だけで、5カ月間にシリア人39人を含む１１５人の少女が妊娠して治療を受けたと報じられました。

「恥ずべき行為」によって「一族の名誉」を汚したとして少女を殺害する名誉殺人も発生しています。２００８年のトルコ政府の発表によると、２００３年から２００８年までに１０００人以上の女性が名誉殺人の犠牲になったとされています。２０１７年には、「一族の名誉」を回復させるため「西洋かぶれ」の姉をドイツで殺害した罪に問われた2人の弟が、移住先のトルコで無罪判決を受けました。エルドアン氏は２０１４年、女性の本来の役割は母親であると述べ、女性は男性と対等ではないと主張したことでも知られています。

私は中田先生のように、トルコを「ＮＡＴＯのメンバーである存在感を示した」とか「子供を慈しむ国」だと評価し、賛美することはできません。研究者は「自分の見たい現実」だけを見て「見たくない現実」からは目をそらしたり、自分自身の個人的な好悪をあたかも客観的事実であるかのように粉飾したりしてはならないと考えるからです。

同様の理由で、イスラムについて論じているはずなのに急に「反安倍」「反体制」色を鮮明に出す中田先生のやり方にも当惑を覚えます。しかし中田先生は、「反安倍」「反体制」を掲げることが当たり前の中東イスラム研究者や「お仲間」たちに囲まれてきたため、イスラムについて語る体裁で反体制を論じるやり方に当惑する人間がいる、ということを想定すらしていないのでしょう。しかしそこに与することのない私にとっては、中田先生の所作は研究者としては邪道にして奇妙奇天烈であり、活動家の所作と考えれば納得がいきます。

日本において中東イスラム研究という場が、もっぱらイデオロギー発露の場になってしまっているのは、非常に大きな問題です。なぜなら中東イスラムに関心を持った日本人が手に取る本、目にする情報のほとんどが、客観性の欠如したイデオロギー志向のものになってしまっているからです。学校でも中東の歴史やイスラム教について教えられていますし、政治や外交においてもそれはひとつの重要な要素ですが、教科書を書く研究者も、政治や外交の場、メディアに招かれる研究者も、押し並べてイデオロギー志向だということです。

中田先生をはじめとする日本の中東イスラム研究者は、あらゆる場で「大学教授」や「専門家」や「第一人者」という「権威ある立場」を利用し、「客観的で専門的な知見」の体裁をとりつつ、実は自分の気持ちやイデオロギーを語っているのです。

日本社会の不利益が増大するだけ

私は研究の道を志した当初、イスラム教について学ぼうと思って手に取った本がいずれも、過剰にイスラム教やイスラム教徒を美化し理想化する言説に満ち満ちていたため、大変当惑しました。それらはイスラム教についての客観的理解を深めるのには、全く役立ちませんでした。

もし私が研究者ではなく一般の日本人で、トルコがシリアに軍事侵攻した事情や背景について知りたいと思って目を通した記事に、トルコは悪くない、トルコには軍事侵攻する正当な理由があるのだ、とひたすらトルコ擁護論が書き連ねられていたら、大変当惑すると思います。

トルコのコロナ対応というテーマに興味を惹かれて目を通した文章に、トルコは素晴らしいが、それに引き換え日本の安倍政権は愚かなことこの上ない、などと書かれていたら、やはり私は大変当惑すると思います。

これでは誰の役にも立ちませんし、何の理解も深まりません。少数の「イスラム・ファン」「トルコ・ファン」を満足させるかもしれませんが、大多数の人には、現実の事象と「専門家」によって提示された解説の不一致に、誤魔化されたような、煙に巻かれたような、もやもやとした印象だけが残ることでしょう。

現在の中東イスラム研究者は、日本の一般社会にある需要を全く満たしていないのです。研究者として果たすべき役割を果たさない一方で、研究者という特権的な立場を利用し、自分の言いたいことだけを言っているのが実情です。

中東イスラム研究者がもっぱらイデオロギー喧伝者であるという実態は長年、日本の教育、研究、政治、外交など、様々な面に悪影響を及ぼしてきました。これまで中東イスラム研究者は、国から多額の科研費を獲得して大規模研究プロジェクトをいくつも行ってきましたが、それらは「日本や欧米はダメだがイスラムは素晴らしい」という「板垣イデオロギー」の強化のみに貢献し、その成果は一般社会には全く還元されてきませんでした。

日本社会では、「日本や欧米はダメだがイスラムは素晴らしい」という研究者の「気持ち」だけが中東やイスラムの現実とは乖離したところでぷかぷかと浮かんでおり、いまだに中東やイスラムについての誤解は広まったままです。新聞やテレビといったメディアでも、中東イスラムについての客観的解説を目にすることは滅多にありません。

私はこの現状を問題だと認識しています。そしてこの現状をひとりの研究者として、私自身が変えていくべきだと考えています。なぜならこのままでは、日本社会にとっての不利益が増幅するだけだからです。中田先生は私が問題視する日本の中東イスラム研究者を代表する象徴的存在であり、いわば敵です。今回、この往復書簡の申し出を受けたのは、敵と戦わなければ現状は打開できないと考えたからです。

しかし中田先生は早くも第一書簡で、「非ムスリムにムスリムの存在様態がイスラームの教えに適っているか、の判断を下すことが正当化されるでしょうか」とこれまた論点をずらし、問題をすり替えることによって、私のような異教徒のイスラム論考など無意味であるというレッテルを貼りました。私はもとより、「ムスリムの存在様態がイスラームの教えに適っているか、の判断を下すこと」など、全く目的としていません。私が目的としていないことを私の目的だと勝手に決めつけることで、私の分析など無意味だというご自身にとって都合のいい結論を導く、典型的なストローマン（藁人形）論法です。

差別の正統化、自由と平等の剥奪に他ならない

この往復書簡において、中田先生が私の書いたものになど全く興味を示さず、指定された分量を大幅に超えて、いたずらに面妖な文を書き連ねてきたことは、読者の方々もお気づきだと思います。

中田先生が私を「異教徒」「女」「大学教授ではない」という三重の意味での「劣位」に置かれた人間として下に見ていることを、少なくとも私はこの往復書簡やツイッターでのやり取りから常に感じてきました。この侮蔑の眼差しは20年前、私が東大イスラム学研究室で初めて先生にお会いした時から少しも変わっていません。

イスラム教において、異教徒はイスラム教徒の下にあり、女は男の下にあるのですから、当

然です。中田先生自身も第三書簡で、「（イスラームは）宗教による差別は否定しません」と明言しています。

また中田先生が長年属してこられた中東イスラム研究業界において「大学教授」という地位・権威は絶対ですから、「元大学教授」で「イスラーム学の第一人者」が肩書のない私を見下すのも当然です。

しかし私はイスラム教徒ではなく、信教の自由、男女平等を憲法で保障する日本で生まれ育った日本人です。イスラム的差別を当然のものとして受け入れなければならない筋合いはありません。また私は中東イスラム研究業界には属していませんから、業界独特の権威主義も私には無関係です。

イスラム教徒として、異教徒の女で大学教授の肩書もない私をごく自然に見下す中田先生の決まり文句が、「カリフ制こそ解決」です。カリフ制再興というのは、多数派を占める人々が中田先生のように私のような仏教徒の女を見下し、しかもそれは不当だと主張することが許されない社会が実現されるということです。少なくとも私にとっては、カリフ制再興は解決でもなんでもありません。それは性差別、マイノリティ差別の正当化、自由と平等の剥奪に他なりません。

日本では中東イスラム研究業界はおろか、言論界、マスメディアにおいても、中田先生の主張に反駁する人はほぼ誰もいません。しかし絶賛する人は数多くいます。これは私にとっては大変「奇妙な現象」です。現実世界というのは、空想世界に勝るとも劣らないほど「奇妙な現象」に満ち溢れているので、これもそのひとつと言えばそれまでですが、私はこれを看過することはできません。

では翻って、日本の一般社会ではどうでしょうか。公の場でおそらく初めて、中田先生の主張に反駁した私の論は、日本の一般読者にある程度受け入れられるのか、もしくは中東イスラム学界や言論界、マスメディアと同様に「肩書も権威もない非イスラム教徒の女の戯言」として一瞥だにされないのか。

判断は皆さんにお任せするしかありません。

どのような判断が下されようと、私はこれからも、自分が全うすべきだと信じる務めを果たしていくでしょう。本当の正解など、誰にもわからないのですから。

書簡Ｂ

「人々は眠っている。死んではじめて気づく」

中田考

序

この書簡も今回で最終回ですが、前々回、前回とパレスチナとトルコという個別の問題に焦点を絞って扱ったＣＯＶＩＤ-19について、イスラームに絡めて巨視的に論じてみようと思います。

まず最初に言っておかなければならないのは、私の予想は大きく外れた、ということです。ＣＯＶＩＤ-19自体の出現は誰にも予想できませんでしたので、それが予想外だったのは当然ですのでそのことではありません。

本連載で何度も繰り返しているように、現代のムスリム世界にイスラームは形だけしか残っておらず、国家のレベルでも社会のレベルでも個人のレベルでもイスラームの教えは実践されていません。それはヨーロッパの植民地支配によって骨抜きにされた現在に始まったことではなく、文明的にはイスラームの絶頂期とも言われるアッバース朝時代においてすらそうでした。しかしこの話をし始めるとキリがないので、詳しくは拙著『イスラーム学』（作品社、2020年）、特に第6節「末法の法学」をお読みください。

現代のムスリム国家、ムスリム社会、ムスリムの行動は基本的に全て西欧の領域国民国家、資本主義、西欧近代科学の論理に基づいており、イスラームは表面的な文化的残滓以上のものではありません。外の人間にはまるで別物に見えても、違いは表層の見かけだけに過ぎません。それはちょうど「COVID‐19」が、日本語では「新型コロナウイルス」、英語ではnovel coronavirus、中国語では「新型冠状病毒」と書かれるので、日本語、英語、中国語を知らない人間にはまったく別物に見えても、実は同じものであるのと似ています。

そのことはよくよく分かっていたつもりでしたが、それにしてもここまでだとは思っていなかった、という点で予想外だった、という意味です。また私は1982年に東大のイスラーム学研究室に進学し1983年にイスラームに入信して以来、イスラーム学研究室出身のただ一人のムスリム学生であり、ずっと自分の世界観、価値観が他の日本人とは違い、理解されないことを自覚して生きてきました。またエジプト留学以来、25カ国以上のムスリム国を訪れましたが、そこでも日本文化の中で育ち13‐14世紀のスンナ派国法学を専門とする古典イスラーム学者として、自分たちがイスラームを実践していると信じている現代の自称ムスリムたちとも全く別の世界観を生きていることを、いやというほど痛感してきました。しかしCOVID–19に対する日本、ムスリム世界の反応を見て、私自身の世界観と感性が、ここまで日本人とも現代のムスリムたちとも、勿論、それ以外の世界の人々とも、かけ離れていたのか、と我ながら驚かされました。今回はそれはなぜか、というお話をしていきましょう。

歴史の中の伝染病

生理学博士で進化生物学者でもあるジャレド・ダイアモンド博士は『銃・病原菌・銃』の中で、ヨーロッパの植民地主義者たちによる南米先住民の抹殺において、伝染病の方が武力よりも大きな役割を果たした、と述べています。

「インフルエンザなどの伝染病は、人間だけが罹患する病原菌によって引き起こされるが、これらの病原菌は動物に感染した病原菌の突然変異種である。家畜を持った人びとは、新しく生まれた病原菌の最初の犠牲者となったものの、時間の経過とともに、これらの病原菌に対する抵抗力をしだいに身につけていった。すでに免疫を有する人びとが、それらの病原菌にまったくさらされたことのなかった人びとと接触したとき、疫病が大流行し、ひどいときには後者の九九パーセントが死亡している。このように、もともと家畜から人間にうつった病原菌は、ヨーロッパ人が南北アメリカ大陸やオーストラリア大陸、南アフリカ、そして太平洋諸島の先住民を征服するうえで、決定的な役割を果たしたのである」

これまで多くの伝染病の流行がありましたが、かつては今よりはるかに人口が少なく医学も未発達でそれらの伝染病に対する有効な治療法もなかったにもかかわらず、人類が今日まで生き残ってきたという事実をふまえるならば、医学が発達し人口も急増し80億人に達しようとしている現在、人類というレベルで伝染病がその存続を脅かすリスクは限りなく小さいと言えるでしょう。14世紀のペストの世界的大流行では当時の人類の推定総人口4億5000万人が3億5000万人にまで減少したと言われていますが、それでも人類は生き残ったどころか、ヨーロッパでは労働人口の減少により労働条件の改善と農工業の効率化がはかられ、社会、経済が発展したとも言われています。最近の最大の伝染病の流行は1918−1920年のスペイン風邪（インフルエンザ）の流行で、当時の地球の総人口20億人弱のうち2000万人から4000万人が死んだと言われていますが、それによっても人類は滅びず、その後も人口は増え続け、今やむしろ多すぎる人口が問題となっています。

私たちがよく知る世界史上の民族、国家レベルでの存亡の危機となった伝染病は、134

6年から1352年にかけて流行し当時のヨーロッパの全人口の4分の1が失われイングランドやイタリアでは人口の8割が死亡し全滅した街や村もあった黒死病（腺ペスト）です。しかし既に述べたようにヨーロッパは医学的には有効な治療法を発見できないままにペスト禍を克服し、それどころか遡及的に分析するなら、後の産業革命、科学革命の準備をすることになりました。

イスラームと伝染病

前回述べた通り、イスラームは預言者ムハンマドとその弟子たちの正統カリフの時代にペスト（ターウーン）の流行に遭遇しています。そしてターウーン（伝染病、腺ペスト）に対しては、その地への人の出入りを禁ずる、とのロックダウンの法規定が定められています。実はこの規定は「天使たちは言う。『アッラーの大地は広大ではないか。その中で移住せよ』」（クルアーン4章97節）と、大地は全て神のものであると宣言し、「大地を旅し、（アッラーが）いかに創造を始めたかを考察せよ」（クルアーン29章20節）と、人間の移動の自由を認めるのみならず神の創造の御業を想うために世界を見て回ることを積極的に勧めるイスラームの教えの中で例外的に移動の自由を制限するものです。

クルアーンに「我ら（アッラー）は使徒を遣わさない限り、罰することはない」（クルアーン17章15節）、「律法（トーラー）が降示される前には、イスラエル（ヤコブ）が自分自身に禁じたものを除き、すべての食べ物はイスラエルの民に許されていた」（3章93節）とある通り、スンナ派イスラームは人間の義務負荷は理性ではなく啓示により、預言者によって法が与えられない限り人間は「自由」であり、すべては許されている、と教えます。

「自由」と「権利」について本格的に論じ始めると更に10回連載を続けても足りませんので、ザックリとした話をすると、イスラームは（近代ではなく）現代西欧的な人権は認めませんが、絶対的な自然権と啓示による義務の反射としての権利を認めます。

啓示による義務の反射とは、神が殺人、窃盗を禁じているので、生命、財産の尊重の義務が生じ、その反射として生命、財産の権利が生まれることを意味します。イスラーム法理学はイスラーム法の義務の反射として生ずる権利を、身命、財産、理性、血統／名誉、宗教の法益に整理します。

絶対的自然権とは、人間が作ったのではない自然に対する処分の「自由」です。人は空いているところであれば陸であれ海であれどこでも好きなところに移動することも、留まることもでき、木の実であれ、魚であれ、動物であれ、石油であれ、好きに取って処分できることを意味します。私がこれを「絶対的自然権」と呼ぶのは、法を前提とする義務の反射ではないからです。ですからどこにでも行くことができる、と言っても、自分に移動手段があればの話で、体が不自由で動けなかったり、遠方で乗り物がなくてたどり着けなかったり、船がなくて海や川が渡れなかったからといって、誰かが連れていってくれるわけではありません。木の実にしろ、動物にしろ、魚にしろ、石油にしろ、自分で手に入れれば好きにして構いませんが、自分で取ってこなければ、誰も持って来てはくれません。

この「絶対的自然権」とは、「権利」というよりむしろ「事実」そのものに近い、西欧的な「権利」が発生する起源にある最も根源的な「規範」である「自由」としての「事実」です。イスラーム法の義務の反射として生ずる権利は、啓示の神への信仰を前提としますが、この「絶対的自然権」は、神の顕現に先立って生成する権利です。つまり絶対的自然権はイスラームの第一信仰告白「ラー・イラーハ・イッラー・アッラー（no god but Allah）」の前段「ラー・イラーハ（no god）」に基づくもので、無神論者、世俗主義者、理神論者とも共有できる政治的議論のプラットフォームだと私は考えています。私が国境の廃絶、領域国民国家の牢獄からの人類の解放としてのカリフ制再興をムスリム諸国のムスリムたちだけでなく宗教にかかわらず日本人相手にもずっと説き続けているのはこのためです。残念ながら、「絶対的自然権」、つまり究極の「自由」を信じないリヴァイアサンの偶像崇拝者、多神教徒には話が通じませんが、それは自称ムスリムでも、それ以外でも同じことです。

この連載でも、それ以外の場所でも、現在のムスリム世界がイスラームとは無縁、自称ムスリムたちが名ばかりで、実態はリヴァイアサンの偶像崇拝者でしかないことは繰り返し繰り返し述べています。ですから今更、COVID-19に対する対応がイスラームの教えに反しているからといって、驚きはしません。しかし、今述べたように、ロックダウンは絶対的自然権、「自由」の制限ですので、特別な、意味を持ちます。カリフ制再興を自らの使命と心得る私にとっては特に、です。そこでこの問題を少し掘り下げましょう。

前回詳しく述べたように、ハディースにある「ターウーン」の流行時のロックダウンが狭く「腺ペスト」を意味するのか、伝染病（ワバーゥ）一般の規定なのか、そしてまたロックダウンが厳密な移動禁止規定なのか、柔軟な行動指針としての推奨規定なのかは、イスラーム法学者の間でも見解が分かれています。私自身は、ハディースのターウーンは腺ペストを指しているが、他の伝染病にも状況に応じて類推して行動指針とすることができる、と考えています。

というのは、預言者の時代のアラブの間では都市は伝染病が多いことが知られており、特に伝染病の多くでは幼児の死亡率が高いため、新生児は乳母をつけて砂漠に送って育てさせる習慣があったからです。預言者ムハンマド自身も乳母ハリーマによって砂漠で育てられました。また預言者が移住した農村であったマディーナは岩山の商都マッカと比べても、より湿気が高く更に伝染病が多い土地であり、預言者ムハンマドと共にマッカから移住した教友たち（ムハージルーン）たちはその気候を嫌っていました。それにもかかわらず新生児を砂漠に送って乳母をつけて育てさせるアラブ人の慣習は、慣習としては残りますがイスラーム法には組み込まれませんでした。ですから、通常の伝染病には状況に応じて個々人が理性で判断すればよく、共同体の存続を脅かすターウーン（腺ペスト）にだけ、絶対的自然権を制限し人々の移動を禁ずるロックダウンを行動指針として定めた、と考えるのが妥当だと私は思います。

スンナ派ムスリム世界はおおむね、ロックダウンを命ずるターウーンを典拠に国際線の乗り入れを全面的に停止したり、国内でもさまざまなレベルの移動制限を実施しています。私は個人的には、COVID-19は現存する数々の伝染病と比べてもターウーンと類推するほどの脅威ではなく、むしろ風邪やインフルエンザと同じような個人的な注意喚起の対応で十分であり、絶対的自然権を制限するロックダウンを強制するのは間違いだと思っています。そもそもイスラーム法は神と個人の関係を律するものであり、法人の概念は存在せず、国家によって強制されるものではありません。勿論、イスラームを知らない人間には近代国家の刑法のように映るものがイスラーム法にあるのも事実です。例えば手首切断刑が定められている窃盗罪については、クルアーン5章38節に「男と女の窃盗犯にはその手を切断せよ……」と書かれています。つまりこれは近代国家の刑法のような、窃盗犯の手首を我々が切断する、という国家による声明ではありません。そうではなく、礼拝をせよ、喜捨をせよ、といったムスリムに対する命令と同じく、窃盗犯に対してその手を切断せよ、とのムスリムに対する神の命令なのです。

ターウーンのハディースも原文は「もしターウーンのニュースを聞いたなら、そこには行ってはならない。もしあなたがいるところにそれが発生したらそこから逃れてはならない」とあり、個々人に対する命令であって、カリフとその代官へ都市のロックダウンを命ずるものではありません。これまでムスリム諸国ではターウーンのハディースを指針に都市のロックダウンなどを行っている、と書いてきましたが、正確には、ターウーンのハディースは、カリフとその代理人にロックダウンを命ずるものではなく、個々のムスリムに都市間の移動を止めるように命ずるもので、公権力による強制が命じられていない、という点で、近代国家の感覚だと都市間移動自粛勧告、といったニュアンスです。

近代国家にも国会の作る法律の他に、法律の下に行政府の発する行政命令があるように、イスラーム法でも、クルアーンとハディースに基づくシャリーア（天啓法）の規定の範囲内で、カリフは独自の状況判断に基づいて行政命令を下すことができます。しかし、預言者の後に無謬の宗教的権威の存在を認めないスンナ派イスラームでは（12代イマームが9世紀に神隠しにあってからは、シーア派も事実上同じです）、行政命令は必ずしも神の命令に沿っているとは限りませんので、ムスリムは最終的にはクルアーン、ハディースを参照しつつ、自分自身の判断で行政命令に従うか否かを決めなければなりません。同様にカリフとその代理人たちも行政命令の発布の可否を最後の審判において神に糾問されることになります。

伝染病の対策としては罹患した者を隔離するのが良い、というのは経験的にもハディースに照らしても間違ってはいませんので、ターウーンのハディースを典拠としたCOVID−19対策としてのロックダウンの行政命令は神の命令に明白に反する、とまでは言えません。しかし前回も述べた通り、非ムスリム諸国の対応と比べると、ムスリムの対応は神の命令に従うことを求めた結果ではなく、単なる覇権国の後追いであり、現在のムスリムは、非ムスリムと同じく死の脅威を煽られ不安に駆られ領域国民国家というリヴァイアサンの偶像の命令に唯々諾々と従う偶像崇拝者にしかみえません。

私はやはり絶対的自然権、移動の「自由」を制限するターウーンのハディースは、腺ペストのような人類レベルとまではいかなくとも地方の共同体の滅亡のレベルの脅威となる伝染病にしか類推（キヤース）しないのが正しく、ハディースの知恵は現在にも通じると思っています。

不安の伝染と自粛警察

分子生物学者の福岡伸一氏はＣＯＶＩＤ－19について「エボラ出血熱やマールブルグ病のような致命的なウイルスが攻めてきたわけではない。むしろ致死率が高いウイルス病は、宿主を殺してしまうゆえに広がることが少ない」と述べ、「世界を混乱に陥れた」のは「急速に伝播されたのはウイルスそのものというよりも、人々の不安である。これほど大きな社会的・経済的インパクトが地球規模でもたらされるとは、誰も予想できなかった[*14]」と述べています。

＊14　https://sotokoto-online.jp/1295

私もこの福岡氏の「現実的な」意見に賛成です。危険度とは釣り合わない巨大な社会的・経済的インパクトを地球規模で及ぼし世界を混乱に陥れたのは、ウイルスではなくて人間の不安であり、不安を煽ったメディアです。

「コロナ禍」が起こる前には、不安を煽るのが商売のメディアの格好の題材がイスラーム・テロでした。「コロナ禍」の後では、彼らが煽ったイスラーム・テロなどたとえ起こったとしても、通常の犯罪の誤差として無視できる些末事だったことが誰の目にも明らかになったかと思いますが、そもそも起こる確率自体が殆ど存在しませんでした。実際に日本ではイスラーム・テロなど一件も起きていません。まぁ、イスラーム研究者としては、そういうデマでも、文科省や外務省がイスラーム・テロ対策のポストを設けて、イスラーム地域研究者の若手の就職先が広がりましたので歓迎ですし、この連載自体がそうした言説の産物とも言えるわけですが。「コロナ禍」はイスラーム・テロとは規模が3桁違いますが、それでも共同体にデモグラフィックな変動をもたらすようなリスクではそもそもありません。それを、世界を分断し、政治・経済・社会的混乱を引き起こす大問題にしてしまったのは、COVID-19の危険を書きたて不安を煽ったマッチポンプのようなメディアの責任が大きいと私は思っています。

前々回、パレスチナで日本人がコロナと呼ばれて嫌がらせを受けた問題を取り上げましたが、中国で発生したとされるCOVID-19問題には最初から差別と他罰的行動がつきまとっています。自分は健康であり、COVID-19をうつす他者を隔離させる自分の行動は正しく、それに従わない者は悪である、というのがその論理です。それが民族レベルで表れたのが、新しい「黄禍論」とも呼ぶべき東洋人差別でした。欧米での感染者数、死亡者数が東アジアをはるかに超えた今も、２０２０年5月12日付のドイツの地方紙が、デュッセルドルフにあるミシュランの星付きレストランの料理長がＳＮＳ上で「中国人はお断りだ」と書きこみ、それに対して中国系をはじめとする多くのネットユーザーから「人種差別」との批判が噴出したと報じています。

14世紀のヨーロッパでのペストの大流行に際しては、当時のキリスト教会はペストをユダヤ人のせいにし、１３９１年には「ユダヤ人に対する聖戦」を煽動し暴徒がユダヤ人街を襲いおよそ4万１０００人のユダヤ人を殺害したと言われる他、ヨーロッパ各地で多くのユダヤ人が殺されています。現在のヨーロッパではまだこのような事態は生じていませんが、中東、アフリカでＣＯＶＩＤ‐19が蔓延し、ＣＯＶＩＤ‐19の感染が疑われる難民が大挙してヨーロッパに押し寄せるようなことがあれば、ヨーロッパが「先祖返り」することは十分に考えられます。中世の宗教は現代では民族であり、民族浄化が「現在の魔女狩り」です。ユーゴスラビア内戦や、コソボ紛争などで起きた民族浄化を思い返せば、デモグラフィックな大変動を伴う民族問題が今日において大きな危険を秘めていることが分かります。

この「魔女狩り」が、内側に向けられたのが、「自分は健康であり、ＣＯＶＩＤ‐19をうつす他者を隔離させる自分の行動は正しく、それに従わない者は悪である」という「自粛警察」

です。自分は陰性であると決めつけ、COVID-19陽性であるかどうかも分からない他人を家に監禁し、外出する時は他人から離れること、マスクを着けることを強要し、あまつさえ飲食店などの営業妨害をしてまわるのが「自粛警察」で、大日本帝国の隣組を思い出させます。サウジアラビアで暮らしていた私は、「ムタウワー」と呼ばれる「宗教警察」が頭に浮かびます。

連帯義務と公益

問題の根本は、自粛警察は、自分たちが公益に従っており、「自粛」しない者が、公益を無視し私益に則って行動している、と思っていることです。しかしそもそも「公益」とは何でしょう。先に述べたように、イスラームでは「公益」とはザクっと言うと、「アッラーの権利」であり、共同体全体の存続にかかわることであり、それゆえ公権力が介入すべきことです。それ以外は私益です。勿論、イスラームでは、公益であれ、私益であれ、アッラーの法に照らしてその可否が問われることは当然の前提です。公益とは私益の総和ではありません。これはルソーが特殊意志の総和としての「全体意志」と「一般意志」を区別したのに対応しています。個人の私益、欲望の総和である「全体意志」を、共同体全体の福利によって矯正したものが「一般意志」です。ルソーの「一般意志」の正確な理解は難しいので、これ以上を知りたい人は自分で調べて考えてください。「人間は個人としては有限で無力だが、類としては無限で万能である」と言ったのはマルクスですが、個人は遅かれ早かれ死ぬものであり、重要なのは個人の生死ではなく、共同体の存亡です。まぁ、人類もそのうち滅びますが、まだもうしばらく時間があると思いましょう。そう思わないと話が終ってしまいますので。

ＣＯＶＩＤ－19はかつてのペストのような「恐ろしい」伝染病と違い、人類レベルでも国家や地方都市のレベルでも共同体の滅亡をもたらすようなリスクはありません。そもそも医学が未発達で治療法もなかった時代のペストの流行で、人類の総人口が4億5０００万人しかいなかったところに1億人が死んで3億5０００万人にまで減っても人類は生き延びたのです。医学が発達し人類全体で80億人、日本には1億2０００万人も人間が存在する現在、極端な話、人口が10分の1に減っても生物学的レベルでは共同体は生き残れるかもしれません。しかし問題は単純に人口総数ではなく人口構成です。日本の人口が1年に44万人以上減っているのは死亡数が出生数を上回り、その差が増え続けている、つまり高齢化が進んでいるからです。ですから日本で人口の9割が死んで10分の1に減っても各世代が一律に死んだのなら、その後に若者が尊重され希望が持てる社会になり出生率が回復しさえすれば日本は蘇ります。しかし人口の3割が死ぬだけでも、それが30歳以下に集中すれば日本は百年たたずに滅亡するでしょう。その意味でも幼児死亡率が高いインフルエンザと違い、死亡者が高齢者に偏っているＣＯＶＩＤ－19は大きな脅威ではありません。つまり、ＣＯＶＩＤ－19問題は共同体の存亡にかかわるような公益に関する問題ではなく、個人のライフスタイルの好悪、私益の問題でしかない、ということです。公益に関する議論とは人口減、高齢化対策のようなものを言うのです。

私益が重要でない、と言っているわけではありません。逆です。私益は個々人にとってはかけがえなく大切なものです。中でも生命はそうです。しかし、それは自分にとってだけであり、他の人間にとっては大切でもなんでもなく、その尊重を求めることは倫理的に不可能だということです。ヴィトゲンシュタインなら「倫理の文法において」とでも言うところでしょう。他人に倫理的に求めることができるのはせいぜい人類全体、あるいは民族や国家の存続を脅かす行為を避けることだけです。もちろん、人類、国家、民族、共同体などどうでも良い、取りあえず周囲のものに迷惑をかけなければそれでよい、という価値観も存在します。ただそういう人たちとはそもそも倫理の議論が成立しないので、ここでは無視します。倫理学の議論に慣れていない読者のために、蛇足ながら補足を加えると、どんな共同体もどうでも良い、という人間とは倫理の議論が成立しない、ということはそういう人間を殺してしまえ、ということでもなければ、一緒に仲良く暮らしていくことができない、ということでもありません。飼い犬と倫理的な議論が成立しなくても仲良く一緒にくらしていけるのと同じ、というシンプルな話です。

客観的、理性的に公益を論ずることと主観的、感情的に私益を主張することは厳密に区別しなければなりません。人類の視点に立って倫理的に論ずる場合には、自分にとって得か、日本人の利益になるか、などといった私益を顧みず、シリア軍の連日の空爆で樽爆弾で殺されているイドリブの市民、イエメンでサウジアラビアとその同盟国によって包囲され飢餓と伝染病で命を失っているサナアの子供たちも自分と同じ一人の地球人として平等に扱われるために何をすべきか、を考えなければなりません。日本人として倫理的に論ずるなら縁もゆかりもなくとも、原発事故の被害によって未だに自宅に戻れない福島の人々、米軍基地の存在に苦しめられている沖縄の人々がどうすれば日本人として自分たちと同じ生活ができるかと心を配らなくてはなりません。

しかし私的領域では私たちは法が許す範囲で自分たちのことだけを考えればよく、遠く離れた見も知らぬ人のことなど考えなくても構いません。そもそも70億人を超える人類全体のことを考えることなど不可能ですから、知りもしない人間に同情するふりなどする必要はどこにもありません。イスラームは、公共の安全と秩序の維持に責任を持つカリフとその代理人には、「フドゥード（イスラーム刑法）」の執行と、私人間の「人間の権利（フクーク・アッラー）」を巡る訴訟の裁定においては、私益を離れてあらゆる人間をイスラーム法が定めるカテゴリーに則り平等に扱うことを命じていますが、私人にはすべての人間を平等に扱えなどとは決して求めません。むしろ預言者ムハンマドは「アッラーの道に費やした1ディーナール金貨と、奴隷解放に費やした1ディーナールと、貧者に施した1ディーナールと、あなたの家族のために費やした1ディーナールの中で最も（来世での）報酬が多いのはあなたの家族のために費やしたものである」（ムスリムの伝えるハディース）と述べて、貧者への施しよりも家族の扶養を優先するように教えています。

ブラック労働の呪縛からの解放を経て公正な社会へ

権限も責任もない人間が、自分の私益にすぎないものを公益のごとくに見せ掛けて他人を支配する詐術の一つが、医療関係者や運送業者などを「なくてはならない」と持て囃しブラック労働に呪縛するお為ごかしの呪いの言葉です。こうした呪いの言葉は世界中で普遍的に見られますが、中でも特に主語が曖昧な日本でよくみられるように感じます。医療関係者にしろ、運送業者にしろ、高級を取っている役人や大企業の役員たちが快適で安全な暮らしを送るために、その人が「働かなければならない」理由は一つもありません。嫌なら辞めればよいのです。少なくとも、こういう呪いの言葉が口にされる「先進国」では辞めても生活保護が受けられ、死ぬことはありません。そうすることによってはじめてそれらの人々が、ブラック労働から解放され、その社会的有用性に相応しい給与と待遇を受けることができるようになります。

ＣＯＶＩＤ－19に対する自粛要請の唯一の良かった点は、今までいかにも「しなくてはならない」と言われてきた仕事のほとんどが不要不急であったこと、そして多くの民間企業が大打撃を受ける一方で、ＣＯＶＩＤ－19対策に国家が介入すべきとの声を利用し、「アベノマスク」のような無用の長物に不透明な巨額の資金が投入されたことが明らかになったことです。ですから、本当になすべきことは、現在の不正な搾取のシステムを支えている医療関係者や運送業者などに、『外で働かなければならない』人たちのことを考えろ」などと猫なで声でブラックな環境に労働者を「呪縛する」呪いの言葉をかけることではなくて、「あなた方は不当な条件でブラックな職場で働き続ける必要などない、辞めて良いのだ」と解放の言葉を贈ることです。

ここでもイスラームの考え方を紹介しておきましょう。既述のようにイスラームでは、義務を全ての責任能力者が行うべき個人義務と、誰かが行えば他の人々は免責されるが誰も行わなければ共同体の全員が罪に陥る連帯義務に分けます。イスラーム教育やジハード（聖戦）、イスラーム刑法の執行のような宗教行為だけでなく、農業、製造業、医学など共同体に必要な仕事も連帯義務になります。自分が何の責任も負わず相手の立場に立ったふりをして呪いの言葉を述べるのではありません。連帯義務とは、他の誰もが行わなければ、自分も神の前で罪を犯したことになる、義務です。医療関係であれ、運送業であれ、「外に出て行わなければならない」のは今そこで働かされている人間ではなく、それを必要とする社会の全ての人間であり、その人間がブラックな環境に耐えかねて「職場放棄」をしたとしても、罪に陥るのは、その者だけではなく、全ての人間が連帯責任でその罪を負うのであり、全ての人間が実際に最後の審判で裁かれる当事者になるのです。イスラームの国法学者イブン・タイミーヤ（1328年没）は、ムスリムが連帯義務を負うような社会が必要とする仕事で、労働者が正当な権利を奪われ不当に働かされることがないようにすることが、為政者の義務であると述べています。

終りに

連載も最後なのでまだまだぜんぜん言い足りないのですが、また大幅に字数をオーバーしてしまったのでそろそろお別れです。最後に思いっきり大雑把な話をして締めくくりとしましょう。

COVID-19の感染には、韓国のキリスト教カルト「新天地イエス教証しの幕屋聖殿」や、イタリアのカトリック教会、イランのシーア派聖廟などがクラスターになって感染が広がったことが大きく報じられたこともあり、「宗教と科学の対立」というヨーロッパの啓蒙主義以来の議論が蒸し返されることになりました。日本の優れた宗教学者の中村圭志先生は、コロナ禍は相当な長期にわたって「端的に合理的に振る舞う」ことへの圧力が持続するため、宗教にとって大きな打撃となり、神学者・教学者はコロナ禍を切り抜けても、一般信徒は宗教に飽き、宗教の空洞化が進む公算が高い、と予想しています。

この連載でたびたび繰り返している通り、私は現在の世界には、自称他称のムスリムの実践を含めて実際に存在する宗教はほとんどリヴァイアサンとマモンの偶像崇拝でしかなく、そんな宗教の延命にはなんの興味もありません。しかし、コロナ禍によって科学が進歩し人類の行動が合理化する、という中村先生の楽観には与しません。というのは、科学は事実しか語らずそこにはいかなる規範も存在しないからです。「存在するものは合理的である」とは哲学者ヘーゲル（1831年没）の言葉ですが、科学の世界には善も悪もありません。存在するものはただあるがままにあり、次の瞬間にはただ消えさるのみです。

知者の目は、その頭にある。しかし愚者は暗やみを歩む。けれども私はなお同一の運命が彼らのすべてに臨むことを知っている。私は心に言った、「愚者に臨むことは私にも臨むのだ。それでどうして私は賢いことがあろう」。私はまた心に言った、「これもまた空である」と。そもそも、知者も愚者も同様に長く覚えられるものではない。きたるべき日には皆忘れられてしまうのである。知者が愚者と同じように死ぬのは、どうしたことであろう。

（『旧約聖書』「コヘレートの書」2章14－16節）

人間が科学的真理に則って暮らそうと、迷信と狂信に生きようと、清廉潔白を貫こうと悪逆非道を尽くそうと、愛する家族に囲まれて希望に満ちて幸せに生きようと、病苦と絶望のうちに孤独死しようと、科学的にはすべてただの粒子の離合集散でしかなく、その間にいかなる違いもありません。ただ無意味に生きて無意味に死んでいくだけです。そもそも科学的に生きることが、「現世的」に「有益」かどうかさえ疑わしいものです。

中世ヨーロッパではペストの流行は、絵画の「死の舞踏」のモチーフを生み、古代ローマでは快楽主義的標語であった「メメント・モリ（死を想え）」を、死を日常的に意識する内省的なキリスト教倫理の格言に変えました。

人口が半減したような凄惨なペストとちがい、COVID-19はメディアのヒステリックな過剰反応とは裏腹に身の回りでほとんど死者を目にすることはありません。私自身、会う人毎に聞いていますが、直接の知り合いで陽性反応が出た者は一人もいません。知り合いの知り合いでのレベルで、入院して回復した知人が何人かいるだけです。これではペストの流行のように万人が死と向き合う、といった実存的経験を日本社会全体に求めることは期待できません。しかし、自粛要請で、強制的に職場を離れさせられたことで、今まで「自分がいなければこの職場は立ち行かない」「自分が働かねばならない」「自分の会社が国を、社会を支えている」と洗脳されていた人たちの一部は、「不要不急」の烙印を押されたことで、無意味な虚業と無駄な消費に忙殺させることで現世のあらゆる欲望を無価値化する死を忘れさせる物質主義と資本主義の呪縛による微睡から一瞬であれ覚醒しました。

預言者ムハンマドは「人々は眠っている。死んではじめて気づく」との言葉を残しています。コロナ禍は、世界中に600万人を超える感染者、40万人にせまる死者を出し、航空会社の国際線の運航停止、外出自粛、ロックダウンなどのせいで1930年代の世界大恐慌以来の経済危機をもたらしたのみならず、失業、貧富の格差の拡大、人種・民族差別、排外主義の高揚、非常事態を口実とした国家権力の強化などの様々な社会問題を生み出しています。コロナ禍を奇貨として、自分がいつ死ぬかわからない儚い存在であることに気づいた読者諸賢が再び微睡に戻ることなく、いずれ死に逝く人間にとって本当に必要なものが何かを見出されることを望んでやみません。長い間、連載にお付き合いいただきありがとうございました。ではまたお会いする日まで。

「不幸に見舞われた時に『我らはアッラーのもの。彼の許へと帰り逝く』と言って耐え忍ぶ者たちに吉報を告げよ」
（クルアーン2章155－156節）

ワッサラーム

あとがき

中田考

晶文社の安藤さんから、往復書簡で本を出さないか、との企画を頂いた時、あまり考えずに、どうせ一月に一本のペースで時事ネタで何か書くなら、本にする前にウェブで連載してはどうか、と提案したのが、このような形で本書が出来上がったそもそものきっかけでした。字数が増えるほど紙代がかさみ値段があがる書籍と違い、ウェブは字数を気にせず書けます。とはいえ私は自分が書いたことを読者が理解できるとは思っていません。より正確に言うと、私が書いた文章を読んで読者が理解したことは、私がその文書を書くにあたって意図したこととは全く違う、ということです。そもそも「著者の意図とは何か」といった問題は、現在執筆中の『神論――現代一神教神学序説』で詳しく論ずる予定ですのでスルーするとして、ここで言いたいのは、読者が私の文の「意図」を理解できない、のと同じことが、私がクルアーン、ハディース、そしてそれを核として築かれたイスラーム文明を理解できないことについても当てはまる、ということです。無量大数分の一にも及ぶべくもない創造主アッラーの意図はさておき、「同じ人間の次元」での預言者ムハンマドと比べても、私の理解など無に等しい、あるいは全く別物である、ということです。

だから、たくさん書けば読者の理解が進む、と思ってウェブで長々と書いたわけではありません。むしろ分からないなりにも相対的に分かりやすいことを書くことで、その背後にある理解を超えたことを浮かび上がらせる、というのが字数制限を超えて書いた目的です。ですから、本書用にウェブの記事を削ることによって読者が知りうることが減る、ということはありません。むしろ逆です。削れば削るほど、読者は自分が理解できないことに気付くことなく知ったことが増える気分になれるのでは、と私は思っています。だからわざわざお金を払って買った本書が、無料で読めたウェブ連載の原文より短くなっているからといって「損をした」と思う読者はほとんどいないでしょう。それはそれで良いと私は思っています。読書とはそういうものです。私自身も学生時代以来、そうしてこれまで何千冊かのお手軽な啓蒙書を読んできましたから。まぁ、その殆どはもう忘れてしまいましたが。

「高い山は裾野が広くなければならない」。大学1年生の教養課程の国際関係論の大人数講義で聞いた衞藤瀋吉先生の言葉です。専門研究のレベルを上げるためには、その分野に興味を持つ「素人」の層が厚くなる必要がある、ということです。決して専門性を軽んじていたわけではありません。衞藤先生は「国際関係論はまだ『論』でしかなく『学問』にはなっていない。少なくとも英仏独西露中の6カ国語さえ使いこなせない者には国際関係論の研究者を名乗る資格はない。そして私も退場すべきそうした一人だ」とも仰られました。

学問の世界だけではありません。日本が現在でもまだ世界で最高水準を保っているマンガもまたそうです。世界中で愛されている最高峰の作品の陰には、大衆誌、成人誌、業界誌などに掲載されただけで単行本化されることもなく、消費されて読み捨てられる無数の作品があります。しかしそうした作品が生み出されるにも、プロのマンガ家を支えるアシスタントの力が欠かせません。更には「コミケ」で世界に有名になった数十部しか刷られず商業ベースにのらない同人誌もまた玉石混交のマンガの世界の不可欠な一部です。そしてそのような玉石混交のマンガの世界は、「石」の作品すら生み出せないばかりか「玉」と「石」を区別することもできなくてもそれらに対価を払って消費する膨大な読者が存在することではじめて成り立っているのです。

マンガだけではなく、学問も同じです。はじめから玉石の鑑定ができない「消費者」を嘲って遠ざけ、「作品」に検閲をもうけて「玉」だけを認めて「石」を排除しようとするなら、その分野はいつのまにか痩せ細り、時を経ずして滅びていきます。そしてそれは人文社会科学だけでなく、自然科学を含めた学問、教育、研究の諸分野で現在進行形で実際に日本で起きていることです。

特に人文社会科学の他の分野と比べても職業的専門家の絶対数が圧倒的に少なくマーケットも小さいイスラーム研究が学問の名に値するものに成長するためには、どんなにレベルが低く誤解と偏見に満ちていようとも、イスラームを理解できない人、理解しようとも思わない人にさえも広く読まれる作品ができるだけ多く生み出され、流通することが不可欠だと私は信じています。

「悪貨は良貨を駆逐する」というグレシャムの法則は正しく、悪貨が出回り良貨が埋もれるのは世の習いです。しかし悪貨が世にはびこるまさにその時に、世の人々には知られなくとも良貨はその真価を知る少数の賢者の手にわたり、実はその隠れた良貨と賢者こそが悪貨が流通する市場の存在そのものを見えないところで下支えしているのです。

まだ学問としての離陸を十分に果たしていない日本のイスラーム研究ですが、最近では神学と法学の松山洋平博士やスーフィズムの山本直輝博士のような欧米やムスリム世界のイスラーム研究に伍して競うことができる学識と知性を兼ね備えた優秀な若手が育ちつつあります。

本書ができるだけ多くの読者の目に留まり、読者の中からたとえ一握りほどの数であったとしても、本書に書かれたことの背後にある「誰の目も見たことがなく耳が聞いたともなく心に浮かんだこともない」（預言者ムハンマドの言葉）広大で深淵な世界を垣間見、彼らに続こうと志す者たちが現れることを願ってやみません。

初出　晶文社スクラップブック　http://s-scrap.com/

イスラームの論理《ろんり》と倫理《りんり》

2020年10月5日　初版

著者　中田考・飯山陽

発行者　株式会社晶文社
〒101-0051
東京都千代田区神田神保町1-11
電話　03-3518-4940（代表）・4942（編集）
URL　http://www.shobunsha.co.jp

印刷・製本　ベクトル印刷株式会社

ISBN978-4-7949-7195-1 Printed in Japan

著者について

中田考（なかた・こう）　1960年生まれ。イスラーム法学者。灘中学校、灘高等学校卒業。早稲田大学政治経済学部中退。東京大学文学部卒業。東京大学大学院人文科学研究科修士課程修了。カイロ大学大学院文学部哲学科博士課程修了（Ph.D）。山口大学助教授、同志社大学教授を経てイブン・ハルドゥーン（在トルコ）大学客員教授。1983年にイスラーム入信、ムスリム名ハサン。著書に『イスラーム法とは何か?』（作品社）、『カリフ制再興』（書肆心水）、『イスラーム　生と死と聖戦』（集英社新書）、『みんなちがって、みんなダメ』（KKベストセラーズ）、『イスラーム国訪問記』（現代政治経済研究社）、『13歳からの世界征服』『70歳からの世界征服』（百万年書房）、『俺の妹がカリフなわけがない!』（晶文社）、『ハサン中田考のマンガでわかるイスラーム入門』（サイゾー）などがある。

飯山陽（いいやま・あかり）　1976年生まれ。東京都出身。イスラム思想研究者。東京大学大学院人文社会系研究科アジア文化研究専攻イスラム学専門分野単位取得退学。博士（東京大学）。著書に『イスラム教の論理』（新潮新書）、『イスラム2.0 —— SNSが変えた1400年の宗教観』（河出新書）がある。Twitter（@IiyamaAkari）とnote（https://note.com/iiyamaakari）で、イスラム世界の最新情報と情勢分析を随時更新中。